HARRAP'S

GUIDE DE CONVERSATION

Français-Anglais

par
LEXUS

HARRAP

Édition publiée en France 1998
par Chambers Harrap Publishers Ltd
7 Hopetoun Crescent, Edinburgh EH7 4AY
Grande-Bretagne

ISBN 0245 50345 5

Réimprimé 1998 (deux fois), 1999

Dépôt légal : janvier 1998

Imprimeur : Clays Ltd, St Ives plc, Grande-Bretagne

TABLE DES MATIERES

TABLE DES MATIERES

Les expressions et les phrases proposées dans ce guide très actuel vous permettront de vous exprimer lors de votre séjour en pays anglophone. Chaque rubrique se compose d'un vocabulaire de base, d'une sélection de phrases utiles, ainsi que d'une liste de mots et d'expressions courantes que vous pourrez voir ou entendre sur place (panneaux, renseignements, indications, etc.). Vous pourrez vous faire comprendre grâce aux indications très simples de prononciation spécialement adaptées pour les lecteurs français.

Ce guide vous propose un mini-dictionnaire français-anglais et anglais-français comportant, en tout, près de 5 000 termes contemporains. Vous pourrez ainsi, en vous aidant des phrases données, converser plus librement et établir des contacts plus intéressants avec les habitants.

Les plaisirs de la table n'ont pas été oubliés : la rubrique 'La cuisine britannique' vous donne une liste complète de plats typiquement britanniques (300 environ) expliqués en français.

Ce guide comporte aussi deux rubriques inédites ; une sur les expressions familières et une autre qui est consacrée aux variations régionales existant entre l'Angleterre, l'Irlande, l'Ecosse et le Pays de Galles, et qui indique également quelques différences typiquement américaines.

good luck!
goude leuke!
bonne chance !

et

have a nice trip!
нave a naïsse tripe!
bon voyage !

Le système de prononciation des phrases données en anglais dans ce guide utilise la prononciation du français pour reproduire les sons de la langue anglaise. Si vous lisez la prononciation de la même manière que les mots français, vous pourrez vous faire comprendre par un anglophone.

Il existe trois sons très particuliers à la langue anglaise :

H un 'h' aspiré très prononcé

TH son 'ce' qui se prononce en plaçant la langue entre les dents; comme dans Mme Thatcher

Z représente le fameux 'th' anglais si difficile à prononcer pour les Français — écoutez un Anglais parler et essayez de reproduire ce son. Toutefois, si vous le prononcez entre le 'z' et le 's', on vous comprendra.

Lorsque les voyelles ou les syllabes sont données en caractères gras, il faut les prononcer de manière plus accentuée.

salut *(bonjour)*
hi
Haï

salut *(au revoir)*
cheerio
*tch**i**rio*

bonjour *(le matin)*
good morning, hello
*goude m**o**rnine, H**e**lô*

bonjour *(l'après-midi)*
good afternoon, hello
*goude âfteun**ou**ne, H**e**lô*

bonsoir
good evening, hello
*goude **i**vnine, H**e**lô*

bonne nuit
good night
goude naïte

au revoir
goodbye
*goudb**aï***

à bientôt
see you
si you

à ce soir
see you this evening
*si you Zisse **i**vnine*

à demain
see you tomorrow
*si you toum**o**rô*

enchanté
pleased to meet you
plizde tou mite you

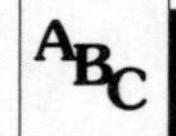

voici ma femme/voici mes enfants
this is my wife/these are my children
*Zisse ize maï ouaïfe/Zize â maï tch**i**ldreune*

puis-je vous présenter... ?
can I introduce...?
*kène aï ine-treud**u**sse...?*

oui
yes
yèsse

si
yes
yèsse

non
no
nô

un peu
a little
*e l**i**teul*

beaucoup
a lot
e lote

non merci
no thank you
nô THènke you

s'il vous plaît *(excusez-moi)*
please
plize

merci
thank you/thanks
THènke you/THènxe

merci beaucoup
thanks very much
*THènxe v**è**ri meutche*

je vous en prie
you're welcome
*youre ou**è**lkeume*

excusez-moi
sorry
*s**o**ri*

comment ?
sorry?
*s**o**ri?*

comment allez-vous ?
how are you?
Haou â you?

très bien, merci
very well, thank you
*v**è**ri ouèle, THènke you*

ça peut aller
not too bad
note tou bade

et vous-même ?
and yourself?
*ènde yors**è**lfe?*

pardon, Monsieur/Madame
excuse me
*èxki**ou**ze mi*

parlez-vous français ?
do you speak French?
do you spike frèntche?

pouvez-vous me dire/m'expliquer... ?
can you tell me...?
kène you tèle mi...?

c'est combien ?
how much is it?
Haou meutche ize ite?

je peux... ?
can I...?
kène aï...?

je voudrais un/une...
can I have a...?
kène aï Have e...?

j'aimerais...
I'd like...
aïde laïke...

où est... ?
where is...?
ouère ize...?

ce n'est pas...
it's not...
itse note...

est-ce que c'est... ?
is it...?
ize ite...?

y a-t-il... ici ?
is there... here?
ize Zère... Hire?

pourriez-vous répéter ?
could you say that again?
coude you sé Zate euguène?

pourriez-vous parler plus lentement ?
could you speak more slowly?
coude you spike more slôli?

je ne comprends pas
I don't understand
aï done-te eune-deurstènde

voulez-vous... ?
do you want...?
dou you ouonte...?

d'accord
OK
oké

pourquoi pas ?
why not?
ouaï note?

quel dommage !
what a shame!
ouote e chéme!

allons-y !
come on, let's go!
keume one, lètse gô!

nous sommes en retard/en avance
we're late/early
*ouire léte/**eu**rli*

comment ça se dit en anglais ?
what's that in English?
*ouotse Zate ine **i**ne-gliche?*

oui, ça va très bien
yes, that's fine!
yèsse, Zatse faïne!

vous connaissez... ?
do you know...?
dou you nô...?

vous habitez ici ?
do you live here?
dou you live Hire?

je suis français/française
I'm French
aïme frèntche

je viens de...
I come from...
aï keume frome...

nous sommes en vacances
we're on holiday
*ouire one H**o**lidé*

je m'appelle...
my name is...
maï néme ize...

comment vous appelez-vous ?
what's your name?
ouotse yore néme?

quel âge avez-vous ?
how old are you?
наou ôlde â you?

j'ai vingt ans
I'm twenty
aïme touène-ti

que faites-vous dans la vie ?
what do you do?
ouote dou you dou?

VOUS VERREZ OU ENTENDREZ :

closed	fermé
do not...	défense de...
engaged	occupé
enquiries	renseignements
entrance	entrée
exit	sortie
forbidden	interdit
free	gratuit
gents	messieurs
ladies	dames
left	gauche
lift	ascenseur
litter	poubelle, papiers
no entry	entrée interdite
no parking	stationnement interdit
no smoking	défense de fumer
... not allowed	... interdit
open	ouvert
out of order	en panne
private	privé
pull	tirer
push	pousser
right	droite
vacant	libre
way out	sortie

VOUS DIREZ :

aéroglisseur	hovercraft *H**ô**veucrâfte*
aéroport	airport ***è**re-porte*
avion	plane *pléne*
bagages	baggage *b**a**guidge*
car	coach *côtche*
carte routière	road map *r**ô**de mape*
couchette	couchette *couch**e**tte*
docks	docks *doxe*
ferry	ferry *f**è**ri*
gare	station *st**é**cheune*
gare routière	bus station *beusse st**é**cheune*
hôtesse	air hostess *aire H**ô**stesse*
magasin hors taxe	dutyfree shop *d**iou**tifri chope*
port	harbour *H**â**beure*
porte *(d'un aéroport)*	gate *guéte*
réserver	book *bouke*
le Shuttle	the Shuttle *Ze ch**eu**teul*
taxi	taxi *t**a**xi*
terminal	terminal *t**eu**rmineul*
train	train *tréne*
le tunnel sous la Manche	the Channel tunnel *Ze tch**a**nel t**eu**neul*

un billet pour...
a ticket to...
*e t**i**kète tou...*

je voudrais réserver une place
I'd like to reserve a seat
*aïde laïke tou riz**eu**rve e site*

fumeurs/non-fumeurs, s'il vous plaît
smoking/non-smoking please
*sm**ô**kine/n**o**ne-smôkine plize*

une place près de la fenêtre, s'il vous plaît
a window seat, please
*e ou**i**ne-dô site, plize*

de quel quai part le train pour... ?
which platform does the... train leave from?
*ouïtche pl**a**teforme doze Ze... tréne live frome?*

à quelle heure part le prochain vol ?
what time is the next flight?
ouote taïme ize Ze nèxte flaïte?

c'est bien le train pour... ?
is this the right train for...?
ize Zisse Ze raïte tréne fore...?

cet autobus va-t-il à... ?
is this bus going to...?
*ize Zisse beusse g**o**ïne tou...?*

cette place est libre ?
is this seat free?
ize Zisse site fri?

est-ce que je dois changer (de train) ?
do I have to change (trains)?
dou aï Have tou tchénge (trénze)?

c'est la première fois que nous prenons le Shuttle
this is the first time we've used the Shuttle
*Zisse ize Ze feuste taïme ouive iouzde Ze ch**eu**teul*

à quelle heure le prochain départ est-il prévu ?
what time is the next departure?
*ouote taïme ize Ze nèxte dip**â**tcheu?*

c'est bien l'arrêt pour... ?
is this the right stop for...?
ize Zisse Ze raïte stope fore...?

c'est quel terminal pour... ?
which terminal is it for...?
*ouitche t**eu**rmineul ize ite fore...?*

c'est bien d'ici que part la navette pour... ?
is this where the shuttle to... goes from?
*ize Zisse ouère Ze ch**eu**teul tou... gôze frome?*

pardon madame, où est l'enregistrement des bagages pour British Airways ?
excuse me, where is the British Airways check-in?
*èxk**iou**ze mi ouère ize Ze br**i**tiche **air**e-ouéze tch**è**que-ine?*

à quelle heure embarque-t-on ?
when do we board?
ouène dou oui borde?

ce billet est-il valable ?
is this ticket OK?
*ize Zisse t**i**kète ok**é**?*

je voudrais changer mon billet
I'd like to change my ticket
*aïde laïke tou tchénge maï t**i**kète*

j'ai raté mon train
I've missed my train
aïve miste maï tréne

merci pour votre hospitalité
thanks for a lovely stay
*THènxe fore e **leu**vli sté*

c'est vraiment gentil d'être venu me chercher
thanks very much for coming to meet me
*THènxe v**è**ri meutche fore k**eu**mine tou mite mi*

VOUS VERREZ OU ENTENDREZ :

advance ticket sales	réservations
arrival(s)	arrivée(s)
baggage claim	retrait des bagages
boarding	embarquement
cancelled	annulé
check-in	enregistrement des bagages
crossing	traversée
customer service centre	centre service-clients

→

customs	douane
delayed	retardé
departure(s)	départ(s)
departure lounge	salle d'embarquement
domestic departures	départs vols intérieurs
do not use while train is in motion	ne pas utiliser quand le train est en marche
emergency use only	à n'utiliser qu'en cas d'urgence
entrance	entrée
exit	sortie
fasten your seat belts	attachez vos ceintures
flight	vol
foot passengers	passagers sans véhicule
gate	porte
international departures	départs internationaux
lift bar to stop	soulevez la barre pour freiner
non-smoking	non-fumeurs
parent and baby room	salle à langer
penalty £10	amende : 10 livres
please proceed to gate...	veuillez vous rendre à la porte...
please use the machines	utilisez les guichets automatiques, S.V.P.
please wait in lounge	veuillez patienter dans la salle d'embarquement
self-service tickets	guichets automatiques
smoking	fumeurs
take-off	décollage
telesales	vente par téléphone
the aircraft is now boarding	l'embarquement a commencé
today's ticket sales only	départs dans la journée seulement
way in	entrée
way out	sortie

anything to declare?
ènITHine tou diclère?
avez-vous quelque chose à déclarer ?

will you open this bag, please?
ouile you opène Zisse bague, plize?
ouvrez votre valise, s'il vous plaît

could you empty your pockets?
coude you èmti yore pokitse?
videz vos poches, s'il vous plaît

DIALOGUE :

did you pack your bags yourself?
dide you pake yore bagze yorsèlfe?
est-ce que vous avez fait vos bagages vous-même ?

> **oui**
> yes, I did
> *yèsse aï dide*

do they contain anything electrical or battery-operated?
dou Zé conténe ènITHine ilèctrikeule or bateuri opeurétide?
est-ce que vous transportez des appareils électriques ?

> **oui, mon rasoir**
> yes, my shaver
> *yèsse maï chéveu*

could you switch it on?
coude you souitche ite one?
est-ce que vous pouvez l'allumer ?

have you left your baggage unattended?
Have you lèfte yore baguidge eune-atèndide?
avez-vous laissé vos bagages sans surveillance ?

DIALOGUE :

have you any baggage to check in?
*нave you **è**ni b**a**guidge tou tchèke ine?*
avez-vous des bagages à enregistrer ?

des bagages à main uniquement
just hand baggage
*djeuste нènde b**a**guidge*

ces valises
these cases here
*Zise k**é**sise нire*

would you like a window seat or an aisle seat?
*ououde you laïke e ou**i**ne-do site or eune aïle site?*
préférez-vous une place côté hublot ou côté couloir ?

smoking or non-smoking?
*sm**ô**ine or n**o**ne-sm**ô**kine?*
fumeurs ou non-fumeurs ?

VOUS DIREZ :

auberge de jeunesse	youth hostel *youtHe H**o**steule*
avec salle de bain	with bath *ouiZe bâtHe*
chambre	room *roume*
chambre pour deux	double room *d**eu**beule roume*
chambre pour une personne	single room *s**i**negueule roume*
clé	key *ki*
déjeuner	lunch *luntche*
demi-pension	half board *hâfe borde*
dîner	dinner *d**i**neu*
douche	shower *ch**aou**eu*
hôtel	hotel *H**ô**tèle*
lit	bed *bède*
lit d'enfant	cot *cote*
nuit	night *naïte*
pension	guesthouse *gu**è**ste-Haousse*
petit déjeuner	breakfast *br**è**kfeuste*
réception	reception *riss**è**pcheune*
salle à manger	dining room *d**aï**nine-roume*

je voudrais une chambre pour la nuit
do you have a room for the night?
dou you Have e roume fore Ze naïte?

je voudrais une chambre pour une personne
do you have a room for one person?
*dou you Have e roume fore ouone p**eu**rsone?*

je voudrais une chambre pour deux personnes
do you have a room for two people?
*dou you Have e roume fore tou p**i**peule?*

j'ai réservé une chambre
I have a reservation
*aï наve e rèzeurv**é**cheune*

nous aimerions louer une chambre pour une semaine
we'd like to rent a room for a week
ouïde laïke tou rènte e roume fore e ouike

connaissez-vous des maisons à louer dans la région ?
do you know of any houses to rent in the area?
*dou you nô ove **è**ni н**aou**zize tou rènte ine Ze **è**ri-eu?*

je cherche une chambre pas chère mais qui soit correcte
I'm looking for a good cheap room
*aïme l**ou**kine fore e goude tchipe roume*

quel est le prix de la chambre ?
how much is the room?
нaou meutche ize Ze roume?

auriez-vous deux chambres au même étage ?
do you have two rooms on the same floor?
dou you нave tou roumze one Ze séme flore?

est-ce que le petit déjeuner est inclus dans le prix ?
does that include breakfast?
*doze Zate ine-cl**ou**de br**è**kfeuste?*

une chambre avec vue sur la mer
a room overlooking the sea
*e roume **o**veuloukine Ze si*

nous arriverons tard le soir
we will be arriving late
*oui ouile bi ar**aï**vine léte*

j'aimerais changer de chambre, la mienne est trop bruyante
I'd like to change my room, mine's too noisy
*aïde laïke tou tchénge maï roume, maïnze tou n**oï**zi*

nous aimerions rester encore une nuit
we'd like to stay another night
*ouïde laïke tou sté èn**eu**Zeu naïte*

je voudrais la clé de la chambre 210, s'il vous plaît
can I have the key to room 210, please?
kène aï нave Ze ki tou roume tou ouone ô, plize?

vous pouvez faire la chambre maintenant
you can do the room now
you kène dou Ze roume naou

pouvez-vous me donner deux serviettes de bain supplémentaires ?
can you give me two extra bath towels?
*kène you give mi tou **e**xtra bâтнe taoulze?*

nous partons demain
we're leaving tomorrow
*ouire l**i**vine toum**o**rô*

à quelle heure devons-nous libérer la chambre ?
when do we have to be out of our room by?
*ouène dou oui нave tou bi aoute ove **aou**a roume baï?*

pourriez-vous préparer ma note, s'il vous plaît ?
can I have my bill please?
kène aï нave maï bile plize?

je vais payer en liquide
I'll pay cash
aïle pé cache

vous acceptez les cartes de crédit ?
do you take credit cards?
*dou you téke cr**e**dite câdze?*

pouvez-vous me réveiller à 6 heures 30 demain matin ?
will you give me a call at 6.30 in the morning?
*ouïle you guive mi e corle ate sixe тн**eu**ti ine Ze m**o**rnine?*

à quelle heure servez-vous le petit déjeuner ?
what time do you serve breakfast?
*ouote taïme dou you seurve br**è**kfeuste?*

est-ce que nous pouvons prendre le petit déjeuner dans notre chambre ?
can we have breakfast in our room?
kène oui *Have* *br**è**kfeuste ine* ***aou****a roume?*

merci de nous avoir hébergés
thanks for putting us up
*THènxe fore p**ou**tine eusse eupe*

  **VOUS VERREZ OU ENTENDREZ :**

B&B, bed and breakfast	chambre avec petit déjeuner
boarding house	pension de famille
campsite	terrain de camping
Continental breakfast	petit déjeuner à la française
emergency exit	sortie de secours
English breakfast	petit déjeuner à l'anglaise
en suite bathroom	salle de bain particulière
fire escape	escalier/sortie de secours
full board	pension complète
ground floor	rez-de-chaussée
guest house	pension de famille
guests are requested to vacate their rooms by 12 o'clock	veuillez libérer la chambre avant midi
half board	demi-pension
lift	ascenseur
lounge	salon
no vacancies	complet
please do not disturb	ne pas déranger
rooms to let	chambres à louer
shower	douche
vacancies	chambres à louer
YHA	Fédération des auberges de jeunesse
youth hostel	auberge de jeunesse

DIALOGUE :

bonsoir, est-ce qu'il vous reste des chambres ?
good evening, do you have any rooms left?
*goude **i**vnine dou you Have **è**ni roumze lèfte?*

yes sir, I have a double
*yèsse seure aï Have e d**eu**beule*
mais oui monsieur, nous avons une chambre double

serait-il possible de voir la chambre ?
would it be possible to see the room?
*ououde ite bi p**o**ssibeule tou si Ze roume?*

très bien, je la prends, pour une nuit
fine, I'll take it, for one night
faïne aïle téke ite, fore ouone naïte

VOUS DIREZ :

addition	bill *bile*
boire	drink *drine-ke*
cuisine *(aliments)*	food *foude*
dessert	dessert *di**zeu**rte*
entrée	starter *s**tâ**teu*
garçon	waiter *ou**é**teu*
manger	eat *ite*
menu	menu *m**è**niou*
plat principal	main course *méne corse*
pourboire	tip *tipe*
restaurant	restaurant ***re**strante*
salade	salad *s**a**leude*
serveuse	waitress *ou**é**trèsse*
service	service *s**eu**rvisse*

et si on allait au resto ce soir ?
what do you say we eat out tonight?
*ouote dou you sé oui ite aoute teun**aï**te?*

une table pour trois, s'il vous plaît
a table for three, please
*e t**é**beule fore THri, plize*

j'ai réservé une table au nom de M. Boudon
I've reserved a table in the name of Boudon
*aïve riz**eu**rvde e t**é**beule ine Ze néme ove boudon*

je voudrais voir le menu
can I see the menu?
*kène aï si Ze m**è**niou?*

nous aimerions commander
we'd like to order
*ouïde laïke tou **o**rdeu*

qu'est-ce que vous recommandez ?
what do you recommend?
*ouote dou you rècom**è**nde?*

je voudrais..., s'il vous plaît
I'd like... please
aïde laïke... plize

garçon !
waiter!
*ou**é**teu!*

mademoiselle !
waitress!
*ou**é**trèsse!*

c'est pour moi
that's for me
Zatse fore mi

encore un peu de pain, s'il vous plaît
some more bread please
some more brède plize

une bouteille de rouge/blanc maison, s'il vous plaît
a bottle of house red/white wine please
*e b**o**teule ove Haouse rède/ouaïte ouaïne plize*

pourrions-nous avoir une autre carafe d'eau ?
could we have another jug of water?
*coude oui Have an**eu**Zeu djeug ove ou**o**rteu?*

qu'est-ce que vous avez comme desserts ?
what desserts do you have?
*ouote diz**eu**rtse dou you Have?*

deux crèmes, s'il vous plaît
two white coffees please
*tou ouaïte c**o**fize plize*

c'était délicieux
that was delicious
*Zate ouoze dil**i**cheusse*

l'addition, s'il vous plaît
the bill, please
Ze bile, plize

l'addition n'est pas correcte
the bill's not right
Ze bilze note raïte

le service est-il compris ?
is service included?
*ize s**eu**rvisse ine-cl**ou**dide?*

acceptez-vous la Carte bleue® ?
do you take Visa?
*dou you téke v**i**sa?*

  **VOUS VERREZ OU ENTENDREZ :**

Indian restaurant	restaurant indien (cuisine très épicée à des prix très abordables)
Chinese restaurant	restaurant chinois dont les prix sont en général très abordables
licensed restaurant	restaurant autorisé à vendre des boissons alcoolisées
service (not) included	service (non) compris
set menu	menu
take away	plats à emporter
wine list	carte des vins

how many of you?
*Haou m**è**ni ove you?*
combien êtes-vous ?

do you have a reservation?
*dou you Have e rèzeurv**é**cheune?*
avez-vous réservé ?

smoking/non-smoking?
*sm**o**kine/n**o**ne-smokine?*
fumeurs/non-fumeurs ?

are you ready to order?
*â you r**è**di tou **o**rdeu?*
avez-vous choisi ?

is everything OK?
*ize **è**vriTHine ok?*
cela vous convient ?

did you enjoy your meal?
*dide you èndj**oï** yore mile?*
vous avez bien mangé ?

would you like a dessert?
*ououde you laïke e diz**eu**te?*
voulez-vous un dessert ?

DIALOGUE :

allo, bonjour, j'aimerais réserver une table pour deux personnes
hello, I'd like to book a table for two
*Helô aïde laïke tou bouke e t**é**beule fore tou*

yes madam, for what time?
*yèsse m**a**deume, fore ouote taïme?*
certainement madame, pour quelle heure ?

vers les huit heures
for around eight o'clock
*fore eur**aou**nde éte eucl**o**ke*

no problem, what was the name?
*nô pr**o**bleume, ouote ouoze Ze néme?*
aucun problème, c'est à quel nom ?

Voir l'alphabet à la page 82

(voir aussi le dictionnaire)

ale bière
almond amande
anchovies anchois
apple pomme
apple crumble pommes au four recouvertes d'une croûte sucrée
apple pie tarte aux pommes
apple sauce compote de pommes
apricot abricot
asparagus asperges
avocado avocat
Aylesbury duckling caneton *(de qualité supérieure)*

bacon lard maigre
bacon and eggs œufs au bacon
baked au four
baked Alaska omelette norvégienne
baked beans haricots blancs à la sauce tomate
baked potato pomme de terre au four
Bakewell tart tarte à la pâte d'amandes et à la confiture
bamboo shoots pousses de bambou
banana fritter beignet à la banane
banana split banane servie avec de la glace, des noix, de la crème, etc.
bangers and mash purée de pommes de terre et saucisses
barley wine bière très forte
basil basilic
battenburg gâteau de Savoie à damier rose et jaune recouvert de pâte d'amandes
beans on toast haricots blancs à la sauce tomate servis sur du pain grillé
beansprouts germes de soja
beef bœuf
beef olives paupiettes de bœuf
beefburger hamburger
beetroot betterave
biryani plat indien assez épicé à base de riz
black coffee café noir

black pudding boudin
blackberry mûre
blackcurrant cassis
boiled bouilli
boiled egg œuf à la coque
boiled potatoes pommes vapeur
brawn fromage de tête
bread pain
bread and butter pudding dessert cuit au four à base de pain, de lait et de raisins secs
breaded pané
breast of chicken blanc de poulet
brisket paupiette de poitrine de bœuf
broad beans fèves
broth potage
Brussels sprouts choux de Bruxelles
bubble and squeak purée de pommes de terre, choux et viande hachée
bun petit pain au lait
Burgundy bourgogne
butter beurre
butter beans haricots blancs
butterscotch caramel *(au beurre)*

cabbage chou
Caerphilly fromage friable d'origine galloise
cake gâteau
carry out plats à emporter *(terme écossais)*
cashew nuts noix de cajou
casserole ragoût
cauliflower cheese chou-fleur au gratin
chapati sorte de crêpe indienne épaisse
Cheddar fromage à pâte dure
cheese fromage
cheese and biscuits fromage servi avec des biscuits salés
cheeseboard plateau de fromages
cheeseburger hamburger au fromage
cheesecake tarte au fromage blanc et à la crème fraîche
Chelsea bun petit pain aux raisins secs
cherry cerise
Cheshire fromage à pâte dure
chicken poulet

chicken liver pâté pâté de foie de volaille
chili piment
chili con carne viande de bœuf hachée préparée avec des haricots rouges et du piment
chips frites
chives ciboulette
chop côtelette
Christmas pudding pudding de Noël
chutney légumes ou fruits macérés dans le vinaigre, préparés à l'indienne
cinnamon cannelle
clams palourdes
claret bordeaux rouge
clotted cream crème épaisse en grumeaux
coconut noix de coco
cod cabillaud, morue
coffee café *(généralement au lait)*
cold meats assiette anglaise
corn on the cob épi de maïs
Cornish pasty sorte de feuilleté à la viande
cottage cheese sorte de fromage blanc granuleux
cottage pie sorte de hachis Parmentier
crackling couenne de rôti de porc rissolée
crayfish, crawfish écrevisse, langouste, langoustine
cream crème
cream of tomato soup velouté de tomates
cream tea thé accompagné de petits pains, de crème et de confiture
cress cresson
crumpet sorte de petite crêpe épaisse servie grillée
cucumber concombre
curried au curry
custard crème anglaise

Danish pastry chausson aux pommes, à la vanille, etc.
deep fried frit
diced en dés
digestive biscuit biscuit à la farine complète
double cream sorte de crème fraîche
double Gloucester fromage gras à pâte dure
doughnut beignet
Dover sole sole

dressing assaisonnement *(vinaigrette, mayonnaise, etc.)*
duck canard
duckling caneton
dumpling boulette

Eccles cake gâteau aux raisins secs
egg œuf
egg custard œufs au lait

fish poisson
fish and chips poisson frit servi avec des frites
flaky pastry pâte feuilletée
flapjack biscuit aux flocons d'avoine et à la mélasse
fool mousse aux fruits
French beans haricots verts
French dressing vinaigrette
French fries pommes frites
fresh orange juice orange pressée
fried egg œuf sur le plat
fritter beignet
fruit cake cake
fruit salad salade de fruits
fudge caramel fondant

game gibier
gammon jambon cuit
gammon steak tranche épaisse de jambon cuit
garlic ail
ginger gingembre
gingerbread pain d'épice
ginger pudding pudding au gingembre
grapefruit pamplemousse
grated râpé
gravy sauce au jus de viande
green beans haricots verts
green peas petits pois
grilled grillé

haddock églefin
haggis panse de brebis farcie *(spécialité écossaise)*
hake colin
halibut flétan

ham jambon cuit
hard boiled egg œuf dur
haunch of venison cuissot *ou* gigue de chevreuil
hazelnut noisette
herbal tea infusion
herring hareng
home made fait maison
honey miel
horseradish sauce sauce au raifort

ice cream glace
icing glaçage
Irish stew ragoût de mouton aux légumes

jacket potatoes pommes de terre en robe des champs
jam confiture
jellied eels tranches d'anguille en aspic
jelly gelée
joint rôti
jugged hare civet de lièvre
juice jus

kebab brochette
kedgeree pilaf de poisson
kidney rognon
kidney beans haricots rouges
king prawn grosse crevette
kipper hareng fumé
knickerbocker glory glace avec des fruits frais servie dans un grand verre
korma plat indien doux au yaourt

lamb agneau
Lancashire hotpot ragoût à la viande et aux pommes de terre
leek and potato soup soupe aux poireaux et aux pommes de terre
leg of lamb gigot d'agneau
lemon citron
lemon sole limande
lemon curd pâte à tartiner au citron
lentil soup potage aux lentilles
lettuce laitue

liver foie
lobster homard
luncheon meat viande en conserve

macaroni cheese macaroni au gratin
mackerel maquereau
Madeira cake sorte de quatre-quarts
madras plat indien très épicé
marmalade confiture d'oranges
mashed potatoes purée de pommes de terre
mature mûr, fait
meat viande
meatball boulette de viande
milk lait
minced meat steak haché
mince pie tartelette aux fruits secs
mint sauce sauce à la menthe
mixed grill assortiment de grillades
mulligatawny soup soupe aux lentilles à l'indienne
mushroom champignon
mushy peas purée de pois
mussels moules
mustard moutarde
mutton mouton

nan bread pain levé indien
noodles nouilles

oatcake galette d'avoine
oatmeal flocons d'avoine
onion oignon
orange juice jus d'orange
oxtail soup soupe à la queue de bœuf
oyster huître

pakora beignet indien aux oignons, aux pommes de terre, etc.
pancake crêpe
parsley persil
partridge perdrix
pasta pâtes
pastries pâtisseries
pastry pâte

peach pêche
pear poire
peas petits pois
pepper poivre; poivron
pheasant faisan
pickles condiment aigre-doux
pie tarte, tourte
pineapple ananas
plaice carrelet
plain nature
ploughman's lunch assiette garnie *(fromage, pain, crudités et 'pickles')*
poached poché
poppadom sorte de crêpe indienne croustillante
pork chop côte de porc
pork pie sorte de pâté en croûte
porridge bouillie de flocons d'avoine
potato salad salade de pommes de terre
prawn cocktail cocktail de crevettes
prune pruneau
puff pastry pâte feuilletée
pumpkin potiron

rabbit lapin
radish radis
raspberry framboise
red Leicester fromage à pâte plus souple que le cheddar
rice riz
rice pudding riz au lait
roast beef rôti de bœuf, rosbif
roast chicken poulet rôti
roast potatoes pommes de terre rôties
roly-poly roulé à la confiture
rye bread pain de seigle

salad salade
salmon saumon
salt sel
samosa chausson aux légumes à l'indienne
sausage saucisse
sausage roll sorte de friand
savoury salé

scallop coquille Saint-Jacques
scampi crevettes frites
Scotch broth soupe traditionnelle écossaise à base de légumes et de mouton
Scotch egg œuf dur enrobé de chair à saucisse
scrambled eggs œufs brouillés
seafood fruits de mer
shallot échalote
shandy panaché
shellfish crustacés
shepherd's pie sorte de hachis Parmentier
sherry trifle sorte de diplomate au sherry
shortbread sablé écossais
shortcrust pastry pâte brisée
side salad salade d'accompagnement
sirloin steak bifteck dans l'aloyau
smoked salmon saumon fumé
sparerib côtelette de porc
sparkling mousseux
spinach épinards
sponge cake génoise
spotted dick sorte de pudding aux fruits
squid calmar
steak and kidney pie bœuf et rognons en sauce recouvert de pâte feuilletée
steak and kidney pudding genre de tourte farcie avec du bœuf et des rognons en sauce, et cuite à la vapeur
steamed cuit à la vapeur
stew ragoût
stewed apples compote de pommes
Stilton fromage bleu
strawberry fraise
stuffing farce *(faite, en général, avec des oignons, de la sauge et de la mie de pain)*
sugar sucre
sundae coupe glacée
swede rutabaga
sweet and sour aigre-doux
sweetbread ris *(de veau etc)*
sweetcorn maïs en grains
Swiss roll roulé à la confiture ou à la crème

T-bone steak côte de bœuf

tandoori cuit à l'indienne dans un four à bois
tangerine mandarine
tea with milk thé au lait
Thousand Islands mayonnaise à la tomate
toad in the hole saucisse enrobée de pâte à crêpe et cuite au four
toasted sandwich sandwich grillé
toffee sorte de caramel
tomato tomate
topping garniture
treacle pudding pudding à la mélasse
trifle sorte de diplomate aux fruits
trout truite
tuna *(fish)* thon
turkey dinde

veal veau
veal, ham and egg pie pâté en croûte à base de veau, de jambon et d'œufs durs
veg, vegetables légumes
venison venaison
vindaloo plat indien très épicé

walnut noix
Welsh rarebit sorte de croque-monsieur
whipped cream crème Chantilly
whitebait petite friture
white coffee café au lait
whiting merlan
wholemeal à la farine complète
Worcester sauce sauce piquante à base de vinaigre et de soja

Yorkshire pudding pâte à choux cuite au four servie avec le rôti de bœuf

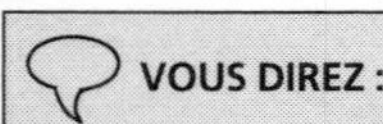

VOUS DIREZ :

bière	beer *bire*
bière blonde	lager *lâgueu*
blanc	white *ouaïte*
coca®	coke® *côke*
demi	half a pint *Hafe e païne-te*
doux	sweet *souite*
gin-tonic	gin and tonic *djine ènde tonike*
glace	ice *aïsse*
heure de fermeture	closing time *clôzine taïme*
jus d'orange	orange juice *orine-je djousse*
limonade	lemonade *lèmonéde*
pression	draught *drâfte*
rouge	red *rède*
sec	dry *draï*
(sans glace)	straight *stréte*
vin	wine *ouaïne*
vodka	vodka *vodka*
whisky	whisky *ouiski*

on va boire un pot ?
let's go for a drink
lètse gô fore e drine-ke

un demi, s'il vous plaît
half a (pint of) lager please
Hafe e (païne-te ove) lâgueu plize

ⓘ *Pour commander une bière, vous devrez spécifier la quantité (**pint** [païnte] ou **half pint** [Hâfe païnte]) et le type de bière que vous désirez boire : **lager** [lâgueu] (blonde), **stout** [staoute] (brune), **real ale** [rile éle] (bière artisanale), **bitter** [biteu] (brune amère peu gazeuse), ou encore en préciser la marque (**Guinness, Murphy's, Heineken,** etc).*

un verre de rouge/blanc
a glass of red/white wine
e glasse ove rède/ouaïte ouaïne

avec beaucoup de glace
with lots of ice
ouiZe lotse ove aïsse

sans glace, s'il vous plaît
no ice thanks
nô aïsse THènxe

la même chose, s'il vous plaît
the same again please
Ze séme euguène plize

est-ce que vous servez à manger ?
do you do food?
dou you dou foude?

jusqu'à quelle heure êtes-vous ouvert ?
how long do you stay open till?
Haou long dou you sté ôpeune tile?

qu'est-ce que vous prenez ?
what'll you have?
ouoteule you Have?

c'est ma tournée
I'll get this round
aïle guète Zisse raounde

pas pour moi, merci
not for me thanks
note fore mi THènxe

il est complètement bourré
he's absolutely smashed
Hize abseuloutli smachde

à la vôtre
cheers
tchirze

vous venez souvent ici ?
do you come here often?
dou you keume Hire ofeune?

allons nous asseoir en terrasse
let's go and sit outside
lètse gône site aoutsaïde

VOUS VERREZ OU ENTENDREZ :

bitter	bière brune amère peu gazeuse
draught	pression
happy hour	période pendant laquelle les consommations sont moins chères
lager	bière blonde
pub grub	nourriture servie dans un pub
saloon/lounge bar	salle la plus confortable du pub
stout	bière brune
wine bar	bar à vins

DIALOGUE :

je peux vous offrir un verre ?
can I get you a drink?
kène aï guète you e drine-ke?

yes, thanks very much
*yèsse THènxe v**è**ri meutche*
oui, avec plaisir

qu'est-ce que vous prenez ?
what'll you have?
*ou**o**teule you Have?*

the same again, a vodka and orange
*Ze séme eugu**è**ne, e v**o**dka ènde **o**rine-je*
la même chose, une vodka orange

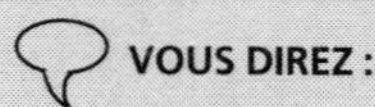

VOUS DIREZ :

bourré	smashed *smashde*
branché	cool *coule*
cinglé	nutter *n**eu**teu*
clope	fag *fague*
dingue	barmy *b**â**mi*
fric	dosh *doche*
mec	bloke *blôke*
merde	shit *chite*
nana	bird *beurde*
salaud	bastard *b**â**steurde*
truc *(chose)*	thing *THine*

super !
great!
gréte!

quelle horreur !
that's awful!
*Zatse **ô**foule!*

ferme-la !
shut up!
cheute eupe!

va te faire voir !
get stuffed!
guète steufde!

je suis complètement crevé
I'm absolutely knackered
*aïme absol**ou**tli n**a**keude*

j'en ai marre
I'm fed up
aïme fède eupe

j'en ai ras le bol de...
I'm fed up with...
aïme fède eupe ouiZe...

tire-toi !
get lost!
guète loste!

non mais ça va pas, la tête ?
have you gone completely off your rocker?
*нave you gone compl**i**tli ofe yore r**o**keu?*

laissez-moi rire !
don't make me laugh!
done-te méke mi lâfe!

ça vaut rien
it's rubbish
*itse r**eu**biche*

c'est du vol
it's a rip-off
*itse e r**i**pe-ofe*

c'est vraiment embêtant
it's a nuisance
*itse e ni**ou**sseune-se*

c'est vraiment génial
it's absolutely fantastic
*itse absol**ou**tli fane-t**a**stike*

VOUS VERREZ OU ENTENDREZ :

booze	alcool
flipping heck!	ça alors !
hang on a minute!	une seconde !
no way!	pas question !
nuts	dingue
okey-dokey	OK d'accord
over the moon	aux anges
the telly	la télé
wally	andouille
weirdo	personne bizarre

VOUS DIREZ :

aller-retour	return *rit**eu**rne*
aller simple	single *s**i**ne-gueule*
arrêt de bus	bus stop ***b**eu**sse stope*
autobus	bus *beusse*
billet	ticket *t**i**kète*
carte	map *mape*
carte d'abonnement	railcard *r**é**le-carde*
changer	change *tchénge*
essence	petrol *p**è**treule*
faire du stop	hitch-hike *H**i**tche- Haïke*
garage	garage *g**a**ridge*
gare	station *st**é**cheune*
métro	underground ***eu**ne-deugraounde*
moto	motorbike *m**o**teubaïke*
station de métro	underground station ***eu**ne-deugraounde st**é**cheune*
taxi	taxi *t**a**xi*
ticket	ticket *t**i**kète*
train	train *tréne*
vélo	bike *baïke*
voiture	car *câ*

EN VOITURE

je vais à...
I'm going to...
aïme goïne tou...

je voudrais prendre l'autoroute
I want to use the motorway
*aï ouonte tou iouze Ze m**ô**teuoué*

je cherche un parking
I'm looking for a car park
*aïme l**ou**kine fore e câ pâke*

est-ce sur mon chemin ?
is that on the way?
ize Zate one Ze oué?

est-ce que je peux descendre ici ?
can I get off here?
kène aï guète ofe HIre?

merci de m'avoir emmené
thanks very much for the lift
*THènxe **vè**ri meutche fore Ze lifte*

où se trouve la station-service la plus proche ?
where's the nearest petrol station?
*ouèrze Ze n**i**rèste **pè**treule st**é**cheune?*

j'ai besoin d'un pneu neuf
I need a new tyre
*aï nide e niou t**aï**eu*

est-ce qu'il y a un garage près d'ici ?
is there a garage near here?
*ize Zère e g**a**ridge nire HIre?*

le moteur chauffe
it's overheating
*itse ôveu-H**i**tine*

les freins ne marchent pas bien
there's something wrong with the brakes
*Zèrze s**o**me-THine rong ouiZe Ze bréxe*

nous visitons la région
we're just travelling around
*ouire djeuste tr**a**vline eur**aou**nde*

je ne suis pas d'ici
I'm a stranger here
*aïme e str**é**ngeu HIre*

DIALOGUE :

comment va-t-on à... ?
how do I get to...?
Haou dou aï guète tou...?

straight on
stréte one
tout droit

turn left/right
teurne lèfte/raïte
tournez à gauche/droite

it's that building there
*itse Zate b**i**ldine Zère*
c'est ce bâtiment-là

it's back that way
itse bake Zate oué
il faut revenir sur vos pas

first/second/third on the left
*feurste/s**è**keunde/Theurde one Ze lèfte*
première/deuxième/troisième à gauche

DIALOGUE :

bonjour madame, j'aimerais louer une voiture
hello, I'd like to rent a car
*H**e**lô aïde laïke tou rènte e câ*

which category?
*ouitche c**a**teugorie?*
dans quelle catégorie ?

combien coûte la moins chère ?
how much is the cheapest?
*Haou meutche ize Ze tch**i**peuste?*

➔

combien ça coûte par jour ?
how much is it per day?
Haou meutche ize ite peur dé?

est-ce que je pourrais en louer une pour trois jours ?
can I rent one for three days ?
kène aï rènte ouone fore THri déze?

> **no problem, could I see your driving licence?**
> *nô pr**o**bleume, coude aï si yore dr**aï**vine l**aï**seunse?*
> pas de problème, pourrais-je voir votre permis de conduire ?

> **how will you be paying?**
> *Haou ouile you bi p**é**-ine?*
> vous payez comment ?

quand dois-je ramener la voiture ?
when do I have to bring the car back?
ouène dou aï Have tou brine Ze câ bake?

EN TAXI

pourriez-vous m'appeler un taxi, s'il vous plaît ?
could you get me a taxi please?
*coude you guète mi e t**a**xi plize?*

est-ce que vous êtes libre ?
are you free?
â you fri?

combien est-ce que ça me coûtera pour aller à la gare ?
how much will it cost me to the station?
*Haou meutche ouile ite coste mi tou Ze st**é**cheune?*

vous pouvez me déposer ici
I'll get out here
aïle guète aoute Hire

EN TRAIN

deux aller-retour pour..., s'il vous plaît
two returns to... please
*tou rit**eu**rnze tou... plize*

à quelle heure part le dernier train ?
what time is the last train?
ouote taïme ize Ze laste tréne?

nous voulons partir demain et revenir après-demain
we want to leave tomorrow and come back the day after
*oui ouonte tou live toum**o**rô ènde keume bake Ze dé **â**fteu*

nous reviendrons dans la journée
we're coming back the same day
*ouire k**eu**mine bake Ze séme dé*

c'est bien le quai pour aller à... ?
is this the right platform for...?
*ize Zisse Ze raïte pl**a**tforme fore...?*

c'est bien le train pour... ?
is this train going to...?
*ize Zisse tréne g**oï**ne tou...?*

où sommes-nous ?
where are we?
ouère â oui?

où est-ce que je dois descendre pour aller à... ?
which stop is it for...?
ouitche stope ize ite fore...?

est-ce qu'il y a des abonnements ?
are there any runabout tickets?
*â Zère **é**ni r**eu**nabaoute t**i**kètse?*

est-ce que je peux emporter mon vélo dans le train ?
can I take my bike on the train?
kène aï téke maï baïke one Ze tréne?

EN METRO

quelle est la station de métro la plus proche ?
which is the nearest underground station?
*ouitche ize Ze n**i**reuste **eu**ne-deugraounde stécheune?*

est-ce que vous avez un plan du métro ?
have you got a map of the underground?
*нave you gote e mape ove Ze **eu**ne-deugraounde?*

j'ai perdu mon ticket
I've lost my ticket
*aïve loste maï **ti**kète*

la machine n'accepte pas mon ticket
the machine's not taking my ticket
*Ze meuch**i**nze note t**é**kine maï **ti**kète*

à quelle heure passe le dernier métro ?
what time does the last underground go at?
*ouote taïme doze Ze lâste **eu**ne-deugraounde gô ate?*

EN AUTOBUS

c'est bien l'arrêt du 47 ?
is this right for the number 47?
*ize Zisse raïte fore Ze n**o**me-beu forti-s**è**veune?*

vous attendez depuis longtemps ?
have you been waiting long?
*нave you bine ou**é**tine long?*

ce bus va bien au centre-ville ?
does this bus go to the city centre?
*doze Zisse beusse gô tou Ze s**i**ti s**è**nteu?*

pouvez-vous me prévenir quand nous y serons ?
can you let me know when we get there?
kène you lète mi nô ouène oui guète Zère?

existe-t-il un service de nuit ?
is there a night service?
*ize Zère e naïte s**eu**rvisse?*

VOUS VERREZ OU ENTENDREZ :

buffet car	wagon-restaurant
buss pass	abonnement *(de bus)*

➔

calling at...	ce train dessert les gares de...
do not speak to the driver	défense de parler au conducteur
do not use while train is standing in a station	l'usage des WC est interdit durant l'arrêt du train en gare
enquiries	renseignements
exact fare, please	faites l'appoint, s'il vous plaît
excess fare	supplément
for hire *(taxi)*	libre
four-star	super
give way	cédez le passage
insert ticket here	introduisez votre ticket
keep your ticket	conservez votre ticket
main line station	grandes lignes
mind the gap	attention à l'espace entre le train et le quai
no entry	passage interdit
obstructing the doors can be dangerous	danger, ne pas bloquer les portières d'accès
off-peak	heures creuses
penalty	amende
platform	quai
please stand on the right	restez à droite
press here	appuyez ici
push to open	pousser pour ouvrir
season ticket	abonnement
tube	métro
underground	métro
unleaded	sans plomb
way out	sortie

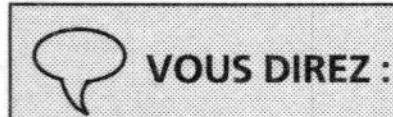

VOUS DIREZ :

bon marché	cheap *tchipe*
caisse	cashdesk *c**a**che-dèske*
carte de crédit	credit card *cr**è**dite câde*
chèque	cheque *tchèque*
cher	expensive *èxp**è**nsive*
magasin	shop *chope*
marché aux puces	second hand market *s**è**keunde Hande m**â**kite*
payer	pay *pé*
rayon	department *dip**â**tmènte*
reçu	receipt *riss**i**te*
sac	bag *bague*
supermarché	supermarket *s**ou**peumâkite*
ticket de caisse	receipt *riss**i**te*
vendeur, vendeuse	shop assistant *chope ass**i**steune-te*

s'il vous plaît, Mademoiselle !
could you help me please?
coude you Hèlpe mi plize?

je voudrais...
I'd like...
aïde laïke...

avez-vous... ?
have you got...?
Have you gote...?

c'est combien ?
how much is this?
Haou meutche ize Zisse?

vous acceptez les cartes de crédit ?
do you take credit cards?
*dou you téke cr**è**dite-câdze?*

je peux avoir un reçu ?
could I have a receipt please?
*coude aï Have e riss**i**te plize?*

je voudrais essayer ça, s'il vous plaît
I'd like to try it on
aïde laïke tou traï ite one

c'est trop grand/petit
it's too big/small
itse tou bigue/smorle

l'avez-vous dans d'autres coloris ?
do you have it in other colours?
*dou you Have ite ine **eu**Zeu k**eu**leuze?*

je reviendrai
I'll come back
aïle keume bake

vous pouvez me faire un paquet-cadeau ?
can you gift-wrap it?
*kène you g**i**fte-rape ite?*

est-il possible d'échanger cet article ? voici le ticket de caisse
can I change this?, here's the receipt
*kène aï tchénge Zisse? Hirze Ze ris**i**te*

VOUS VERREZ OU ENTENDREZ :

20% off	moins 20%
cash point	distributeur de billets de banque; caisse
clearance sale	soldes, tout doit disparaître
delicatessen	épicerie fine
department	rayon
department store	grand magasin
early closing	heure de fermeture avancée
ladies' fashions	vêtements dames
menswear	vêtements messieurs
newsagent	tabac-journaux
off-licence	vins et spiritueux
sale	soldes

seconds	articles comportant des défauts
please take a trolley	caddie obligatoire

DIALOGUE :

can I help you?
kène aï hèlpe you?
est-ce que je peux vous renseigner ?

je ne fais que regarder
I'm just looking
aïme djeuste loukine

je cherche le rayon chaussures
I'm looking for the shoes
aïme loukine fore Ze chouze

it's on the third floor
itse one Ze theude flore
c'est au troisième

avez-vous ces chaussures en noir ?
do you have these shoes in black?
dou you have Zize chouze ine blake?

what size do you take?
ouote saïze dou you téke?
quelle est votre pointure ?

oui ça va, je les prends
yes, that's fine, I'll take them
yèsse Zatse faïne, aïle téke Zème

ⓘ *Les heures d'ouverture sont généralement de 9h00 à 17h30, du lundi au samedi. Cependant, ces horaires peuvent varier considérablement, et il est de plus en plus courant de trouver les magasins ouverts le dimanche.*

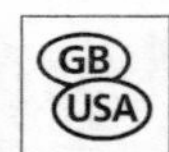

LA GRANDE-BRETAGNE

La Grande-Bretagne se compose de plusieurs pays : l'Angleterre, l'Ecosse, l'Irlande et le pays de Galles, chacun ayant son caractère et son atmosphère propres. Voici un mini panorama au fil de quelques mots-clefs :

L'ANGLETERRE

Cockney Londonien type (classe ouvrière)

Covent Garden quartier très animé du West End de Londres célèbre pour ses musiciens, ses jongleurs, etc., sans oublier ses cafés

Home Counties les "départements" entourant Londres

Lake District région montagneuse du nord-ouest de l'Angleterre; très beaux paysages, randonnée de basse montagne, escalade, voile

M25 autoroute qui décrit un cercle complet autour de Londres; embouteillages géants garantis !

Oxbridge terme regroupant les deux villes universitaires d'Oxford et Cambridge

Trooping of the Colour défilé traditionnel de Londres lorsque la reine passe en revue le régiment de la Garde à Cheval et l'infanterie

West End quartier des grands magasins et des théâtres de Londres

ⓘ *N'allez surtout pas vous offusquer si on vous appelle parfois 'duck', 'love' ou 'darling'. Ce sont des termes amicaux, sans plus.*

L'ECOSSE

bagpipes cornemuse, instrument de musique national

Ben Nevis le plus haut sommet de Grande-Bretagne (1343m)

Burns Night fête du poète national Robert Burns, le 25 janvier; haggis et whisky sont de rigueur

Edinburgh Festival se déroule fin août/début septembre; concerts, théâtre, expositions, spectacles dans les rues et dans les pubs
heavy bière brune, équivalent écossais de la 'bitter' anglaise
Highlands paysage magnifique et spectaculaire, montagnes aux rudes contours, lochs romantiques, grands espaces
Hogmanay fête écossaise du nouvel an
loch lac

L'IRLANDE

Bloomsday *16 juin, Dublin* festival littéraire qui doit son nom à Leopold Bloom, héros fictif d'*Ulysse*, le plus célèbre roman de James Joyce
Connemara région côtière belle et sauvage de l'ouest de l'Irlande; tourbières; nombreux lacs
Giant's Causeway la Chaussée des Géants : série de rochers qui forment une sorte de pavage et que Finn McCool, géant de la légende irlandaise, a utilisé comme pierres de gué pour se rendre en Ecosse
Lough Neagh en Irlande du Nord; le plus grand lac de Grande-Bretagne (superficie : 388 km^2)
punt livre irlandaise
soda bread pain traditionnel levé au bicarbonate de soude
uillean pipes cornemuse couramment utilisée en musique traditionnelle irlandaise

LE PAYS DE GALLES

Brecon Beacons massif montagneux et parc national, situé à la limite du sud et du centre du pays de Galles; le Pen-y-fan culmine à 886m
Dylan Thomas célèbre poète gallois né à Swansea en 1914, mort à New York en 1953 : œuvre la plus célèbre, *Au bois de lait*
eisteddfod festival avec concours de musique, de poésie et de théâtre

Snowdonia massif montagneux du nord, comprenant Snowdon, point culminant du pays de Galles, qui se dresse à 1085m

The Valleys jadis centre actif des charbonnages de la région sud du pays de Galles, les vallées ont maintenant reverdi

LES ETATS-UNIS

On y parle la même langue. Il y a cependant de nombreuses différences de vocabulaire :

USA	GB
apartment *eup**â**tmènte*	**flat** (appartement)
apartment block *eup**â**tmènte bloque*	**block of flats** (immeuble d'habitation)
baggage check *b**a**guidge tchèque*	**left luggage** (consigne)
barrette *barette*	**hairclip** (barrette)
bellhop *b**e**l-HOPE*	**porter** (groom)
candy *k**è**ndi*	**sweet** (bonbon)
check *tchèque*	**bill** (addition)
check *tchèque*	**cheque** (chèque)
checkroom *tch**è**que-roume*	**cloakroom** (vestiaire)
chips *tchipse*	**crisps** (chips)
closet *cl**o**seute*	**cupboard** (armoire)
collect call *coll**è**cte corle*	**reverse charge call** (appel en PVC)
crosswalk *cr**o**ss-ouorke*	**pedestrian crossing** (passage piétons)
desk clerk *d**e**sk cleurke*	**receptionist** (réceptionniste)
diaper *d**aï**peur*	**nappy** (couche)
driver's license *dr**aï**veuze laïseunse*	**driving license** (permis de conduire)
elevator ***è**lèvéteu*	**lift** (ascenseur)
faucet *f**o**re-seute*	**tap** (robinet)
fender *f**è**ndeur*	**wing** (aile)

USA	GB
first floor *feurste flore*	**ground floor** (rez-de-chaussée)
freeway *fri-oué*	**motorway** (autoroute)
French fries *frèntche fraïze*	**chips** (frites)
gas *gasse*	**petrol** (essence)
gas pedal *gasse pèdeule*	**accelerator** (accélérateur)
general delivery *djèneureule dèlivri*	**poste restante** (poste restante)
go: to go *tou go*	**to take away** (à emporter)
grade crossing *gréde crossine*	**level crossing** (passage à niveau)
highway *Haï-oué*	**motorway** (autoroute)
hood *houde*	**bonnet** (capot de voiture)
intersection *ine-teursekcheune*	**crossroads** (croisement)
interstate *ine-teurstéte*	**motorway** (route nationale)
john *djone*	**loo** (cabinets)
ladies' room *lédize roume*	**ladies** (toilettes des dames)
line *laïne*	**queue** (queue, file)
men's room *mènze roume*	**gents** (toilettes des hommes)
median strip *midieune stripe*	**central reservation** (terre-plein central)
movie theater *mouvi THi-èteur*	**cinema** (cinéma)
necktie *nèktaï*	**tie** (cravate)
odometer *odomeuteur*	**milometer** (compteur kilométrique)
pants *pèntse*	**trousers** (pantalon)
pantyhose *pènti Hoze*	**tights** (collant)
parking lot *pâkine lote*	**car park** (parking)

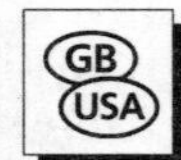

USA	GB
railroad *rélrode*	**railway** (chemin de fer)
restroom *rèstroume*	**toilet** (toilettes)
second floor *sèkeunde flore*	**first floor** (premier étage)
sidewalk *saïde-ouorke*	**pavement** (trottoir)
station house *stécheune Haousse*	**police station** (commissariat)
stoop *stoupe*	**front steps** (porche)
streetcar *strite câ*	**tram** (tramway)
subway *seub-oué*	**underground** (métro)
superintendent *soupourine tènedunte*	**janitor** (concierge)
toll free number *toll-fri nome-beu*	**freefone® number** (numéro vert)
track *trake*	**platform** (quai)
traffic circle *traffic seurkeul*	**roundabout** (sens giratoire)
trunk *treunke*	**boot** (coffre de voiture)
vest *veste*	**waistcoat** (gilet)
welfare *ouèlfaire*	**social security** (allocations)
windshield *ouine-de-childe*	**windscreen** (pare-brise)
wrench *rèntche*	**spanner** (clé)
yard *yâde*	**garden** (jardin)
zip code *zipe code*	**post code** (code postal)

Bon séjour aux USA et surtout :

have a nice day, now!
Hève e naïsse dé naou!
bonne journée !

N'oubliez pas ! Les jours fériés, le pays fonctionne au ralenti et vous risquez de trouver bien des banques fermées, et aussi bon nombre de restaurants et de magasins.

GRANDE-BRETAGNE

New Year's Day/Nouvel An : 1er janvier
2 janvier *(Ecosse)*
St Patrick's Day/la Saint-Patrick *(Irlande)* : 17 mars
Easter Monday/Lundi de Pâques
May Day : 1er lundi de mai
Spring holiday : dernier lundi de mai
August Bank Holiday *(Angleterre)* : dernier lundi d'août
Christmas Day/Noël : 25 décembre
Boxing Day/Lendemain de Noël : 26 décembre

USA

New Year's Day/Nouvel An : 1er janvier
Martin Luther King's Birthday/Anniversaire de M.L. King : 3ème lundi de janvier
Washington's birthday/Anniversaire de Washington : 3ème lundi de février
Memorial Day *(jour des Anciens Combattants)* : le dernier lundi de mai
Independence Day/Jour de l'Indépendance : 4 juillet
Labor Day/Fête du Travail : 1er lundi de septembre
Columbus day *(célébration de la découverte des Amériques par Christophe Colomb)* : 12 octobre ou 2ème lundi d'octobre
Veteran's Day/Armistice : 11 novembre
Thanksgiving/Jour de l'Action de Grâce : dernier jeudi de novembre
Christmas Day/Noël : 25 décembre

Il existe aussi de nombreux jours fériés locaux.

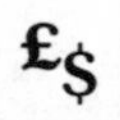

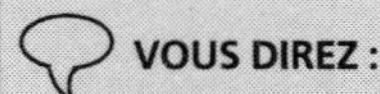

VOUS DIREZ :

addition	bill *bile*
banque	bank *bane-ke*
bureau de change	bureau de change *b**iu**ro de change*
carte de crédit	credit card *cr**è**dite-câde*
chèque	cheque *tchèque*
chèque de voyage	traveller's cheque *tr**a**veleuze tchèque*
cher	expensive *èxp**è**nsive*
distributeur de billets	cash dispenser *cache disp**è**nseu*
eurochèque	Eurocheque ***iou**rotchèke*
francs français	French francs *frèntche fr**a**ne-xe*
livres sterling	pounds (sterling) *paoundze (st**eu**rline)*
monnaie	change *tchénge*
prix	price *praïsse*
reçu	receipt *riss**i**te*
taux de change	exchange rate *èxtch**é**nge réte*

combien ça coûte ?
how much is it?
HAOU meutche ize ite?

j'aimerais changer ceci en...
I'd like to change this into...
*aïde laïke tou tchénge Zisse **i**ne-tou...*

pourriez-vous me donner de la monnaie ?
can you give me something smaller?
*kène you guive mi s**o**me-THINE sm**o**rleu?*

est-ce que vous acceptez cette carte de crédit ?
can I use this credit card?
*kène aï iouze Zisse cr**è**dite-câde?*

l'addition, s'il vous plaît !
can I have the bill please?
kène aïe HAVE Ze bile plize?

£$

gardez la monnaie
keep the change
kipe Ze tchénge

est-ce que le service est compris ?
does that include service?
*doze Zate ine-cl**ou**de s**eu**rvisse?*

quels sont vos taux ?
what are your rates?
ouote â yore rétse?

je n'ai pas un rond
I'm completely broke
*aïme kompl**i**tli brôke*

  **VOUS VERREZ OU ENTENDREZ :**

bank	banque
buying rate	nous achetons à...
cancel	annulez
cash	argent liquide
cheque (guarantee) card	carte d'identité bancaire *(sans laquelle un chéquier n'est pas valable)*
credit card	carte de crédit
enter	validez
exchange rate	taux de change
foreign currency	devises étrangères
please enter your PIN number	tapez votre code confidentiel, SVP
please select the required amount	veuillez sélectionner le montant requis
please select the service required	veuillez sélectionner le service requis
remove card	retirez votre carte
selling rate	nous vendons à...
teller	caisse
travellers' cheque	chèque de voyage
VAT	TVA

ⓘ *L'unité monétaire est la 'pound' [paounde]. Il y a 100 pence [pènse] ou '**p**' dans la 'pound'. Quelques expressions familières pour l'argent :*

quid *couide* = pound; **two quid** = deux livres
a fiver *e f**ai**veu* = un billet de 5 livres
a tenner *e t**è**neu* = un billet de 10 livres

DIALOGUE :

bonjour, est-il possible de réserver... par téléphone ?
hello, is it possible to book... by phone?
*Helô ize ite p**o**sibeule tou bouke... baï fône?*

of course, if you pay by credit card
*ove korse, ife you pé baï cr**è**dite-câde*
bien sûr, si vous réglez par carte de crédit

I'll need your card number
*aïle nide yore câde n**o**me-beu*
quel est votre numéro de carte ?

what's the expiry date?
*ouotse Ze exp**aï**ri déte?*
quelle est la date d'expiration ?

ⓘ **POURBOIRE**

Au restaurant, il est de coutume de donner un pourboire à peu près équivalent à 10% de l'addition. On peut également laisser un pourboire aux chauffeurs de taxi et aux coiffeurs. On ne donne pas de pourboire aux ouvreuses.

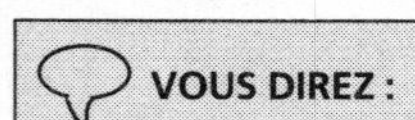

VOUS DIREZ :

billet	ticket *tikète*
chanteur, chanteuse	singer *sine-gueur*
cinéma	cinema *cinèma*
concert	concert *cone-seurte*
discothèque	disco *disco*
film	film *film*
groupe	band *bane-de*
pièce de théâtre	play *plé*
place	seat *site*
réserver	book *bouke*
soirée *(réception)*	party *parti*
sortir	go out *gô aoute*
spectacle	show *chô*
théâtre	theatre *THieuteu*

qu'est-ce que vous faites ce soir ?
what are you doing tonight?
ouate â you douine tounaïte?

veux-tu sortir ce soir ?
do you want to come out with me tonight?
dou you ouonte tou keume aoute ouiZe mi tounaïte?

je suis invité à une soirée, tu m'accompagnes ?
I've been invited to a party, do you want to come with me?
aïve bine ine-vaïtide tou e parti, dou you ouonte tou keume ouiZe mi?

qu'est-ce qu'il y a comme spectacles ?
what's on?
ouotse one?

auriez-vous un programme des spectacles ?
do you have a programme of what's on?
dou you HAve programe ove ouotse one?

quelle est la meilleure discothèque du coin ?
which is the best disco round here?
ouitche ize Ze bèste disco raounde Hire?

allons au cinéma/théâtre
let's go to the cinema/theatre
lètse gô tou Ze cinèma/THieuteu

je l'ai déjà vu
I've seen it
aïve sine ite

rendez-vous à la gare à 9 heures
I'll meet you at 9 o'clock at the station
aïle mite you ate naïne eucloke ate Ze stécheune

j'aimerais deux places pour ce soir
can I have two tickets for tonight?
kène aï Have tou tikètse fore tounaït?

est-ce qu'il reste des tickets pour le concert de U2 ?
are there any tickets left for the U2 concert?
â Zère èni tikètse lèfte fore Ze you-tou coneseute?

ils donnent un concert en plein air ce soir
there's an open-air concert tonight
Zèrze eune ôpeune-ère coneseute teunaïte

tu veux danser ?
do you want to dance?
dou you ouonte tou dane-se?

veux-tu danser encore une fois ?
do you want to dance again ?
dou you ouonte tou dane-se euguène?

merci, mais je suis avec mon copain
thanks but I'm with my boyfriend
THènxe beute aïme ouiZe maï boïfrènde

allons prendre l'air
let's go out for some fresh air
lètse gô aoute fore some frèche air

vous me laisserez rentrer quand je reviendrai ?
will you let me back in again later?
ouile you lète mi bake ine euguène léteu?

j'ai rendez-vous avec quelqu'un qui est déjà entré
I'm meeting someone inside
*aïme m**i**tine s**o**me-oueune ins**aï**de*

 **VOUS VERREZ OU ENTENDREZ :**

booking office	guichet des réservations
funfair	fête foraine
late show	dernière séance
next performance	prochaine séance
sold out	complet
starring...	dans le rôle principal...
with subtitles	sous-titré

 **DIALOGUE :**

je voudrais réserver des places pour la représentation de samedi soir
I'd like to book some seats for Saturday's show
*aïde laïke tou bouke some sitse fore s**a**teudéze chô*

how many seats?
*нaou m**è**ni sitse?*
combien de places ?

I've got four at £8.75
*aïve gote fore ate éte paoundze s**è**veunti faïve*
j'ai quatre places à 8 livres 75

how will you be paying?
*нaou ouile you bi p**é**-ine?*
vous réglez comment ?

VOUS DIREZ :

bikini	bikini *bikini*
bronzer	tan *tane*
crème solaire	suntan lotion *seune-tane lochone*
huile solaire	suntan oil *seune-tane oïle*
maillot de bain	swimming costume *souimine costioume*
(d'homme)	trunks *trone-xe*
mer	sea *si*
nager	swim *souime*
parachute ascensionnel	parascending *parasèndine*
plage	beach *bitche*
plonger	dive *daïve*
sable	sand *sane-de*
scooter des mers	jet-ski *djète-ski*
(se faire) bronzer	sunbathe *seune-béZe*
serviette	towel *taoule*
vague	wave *ouéve*

allons à la plage
let's go down to the beach
lètse gô daoune tou Ze bitche

est-ce qu'on peut se baigner ici ?
is it safe to swim here?
ize ite séfe tou souime Hire?

elle est bonne ?
what's the water like?
ouotse Ze ouorteu laïke?

elle est bonne
it's beautiful
itse bioutifoule

elle est glacée
it's freezing
itse frizine

l'eau est profonde ?
is it deep here?
ize ite dipe нire?

tu viens nager ?
are you coming for a swim ?
*â you k**eu**mine fore e souime?*

je ne sais pas nager
I can't swim
aï cânte souime

tu peux garder mes affaires ?
will you keep an eye on my things for me?
ouile you kipe eune aï one maï тнine-ze fore mi?

tu peux me passer de l'huile dans le dos ?
could you rub suntan oil on my back?
*coude you reube s**eu**ne-tane oïle one maï bake?*

j'adore me faire bronzer
I love sun bathing
*aï leuve s**eu**ne-béZine*

j'ai pris un gros coup de soleil
I'm all sunburnt
*aïme orle s**eu**ne-beurnte*

VOUS VERREZ OU ENTENDREZ :

deckchair	chaise longue
for hire	à louer
high/low tide	marée haute/basse
keep Britain tidy	gardez la Grande-Bretagne propre
no bathing	baignade interdite
prom(enade)	front de mer

VOUS DIREZ :

accident	accident *axidènte*
ambulance	ambulance *ame-buleunse*
blessé	injured *ine-djeurde*
cassé	broken *brôkeune*
en dérangement	out of order *aoute ove ordeu*
en retard	late *léte*
incendie	fire *faïeu*
malade	ill *ile*
médecin	doctor *docteu*
police	police *polisse*
pompiers	fire brigade *faïeu briguéde*
urgence	emergency *imeurdgènsi*

je ne comprends rien
I can't understand a single word
aï cânte eune-deurstènde a sine-gueule oueurde

y a-t-il quelqu'un qui parle français ?
is there anybody here who speaks French?
ize Zère ènibodi Hire Hou spixe frèntche?

pouvez-vous m'aider ? je suis perdu
can you help me? I'm lost
kène you Hèlpe mi? aïme loste

j'ai perdu mon passeport
I've lost my passport
aïve loste maï passe-porte

je dois me rendre à l'Ambassade de France
I have to go to the French Embassy
aï Have tou gô tou Ze frèntche èmbeussi

je n'arrive pas à l'ouvrir
I can't get it open
aï cânte guète ite opeune

c'est bloqué
it's jammed
itse djame-de

ça ne marche pas
it doesn't work
*ite d**o**zeunte oueurke*

est-ce que je peux me servir de votre téléphone ? il s'agit d'une urgence
can I use your telephone, this is an emergency
*kène aï iouze yore t**è**lèfône, Zisse ize eune im**eu**rdgènsi*

au secours !
help!
Hèlpe!

au feu !
there's a fire!
*Zèrze e f**aï**eu!*

appelez les pompiers, vite !
call the fire brigade, quick!
*corle Ze f**aï**eu brigu**é**de, couike!*

il faut appeler une ambulance
get an ambulance
*guète eune **a**me-buleunse*

A L'HOTEL

je me suis enfermé dehors
I've locked myself out
*aïve lokte maïs**è**lfe aoute*

la lumière ne marche pas dans ma chambre
the lights aren't working in my room
*Ze laïtse âne-te ou**eu**rkine ine maï roume*

l'ascenseur est en panne
the lift is stuck
Ze lifte ize steucke

la chasse d'eau ne marche pas
the toilet won't flush
*Ze t**oï**lète ouone-te fleuche*

il n'y a pas de bonde pour la baignoire
there's no plug in the bath
Zèrze nô pleugue ine Ze bâTHE

je n'arrive pas à faire marcher la douche
I can't get the shower to work
*aï cânte guète Ze ch**aou**eu tou oueurke*

il n'y a pas d'eau chaude
there's no hot water
*Zèrze nô HOTE ou**or**teu*

le chauffage ne marche pas
the heating's not working
*Ze H**i**tine-ze note ou**eu**rkine*

nous n'avons pas assez de serviettes de toilette
we don't have enough towels
*oui don-te HAVE in**eu**fe taoulze*

les draps n'ont pas été changés depuis...
the sheets haven't been changed for...
*Ze chitze H**è**veunte bine tchénjde fore...*

il n'y a plus de papier hygiénique
there's no toilet paper left
*Zèrze nô t**oï**lète p**é**peu lèfte*

je suis désolé, j'ai cassé le/la...
I'm afraid I've accidentally broken the...
*aïme afr**é**de aïve axid**è**ntali br**ô**keune Ze...*

je veux faire une réclamation
I want to make a complaint
*aï ouonte tou méke e compl**é**nte*

A L'AEROPORT

j'ai raté ma correspondance
I've missed my connection
*aïve miste maï con**è**xcheune*

mes bagages ne sont pas arrivés
my luggage hasn't arrived
*maï **leu**guidge Hazne-te ar**aï**vde*

?

j'ai oublié quelque chose dans l'avion
I left something behind on the plane
aï lèfte some-THine biHaïnde one Ze pléne

je voudrais faire une déclaration de perte pour mes bagages
I want to report the loss of my luggage
aï ouonte tou riporte Ze losse ove maï leuguidge

EN VOITURE

je suis tombé en panne
I've broken down
aïve brôkeune daoune

nous sommes en panne d'essence
we've run out of petrol
ouive reune aoute ove pètrole

pourriez-vous m'emmener à la station-service la plus proche ?
could you take me to the nearest service station?
coude you téke mi tou Ze nireuste seurvisse stécheune?

j'ai crevé et ma roue de secours est dégonflée
I've got a puncture and my spare tyre is flat
aïve gote e peunctcheure ènde maï spère taïre ize flate

nous venons d'avoir un accident
we've just had an accident
ouive djeuste Hade eune accideunte

j'ai perdu mes clés de voiture
I've lost my car keys
aïve loste maï câ kize

la batterie est à plat
the battery's flat
Ze batrize flate

pouvez-vous nous aider à pousser la voiture ?
can you help us push the car?
kène you Hèlpe eusse pouche Ze câ?

PROBLEMES D'ARGENT

je n'ai pas assez d'argent
I don't have enough money
aï done-te HAVE inafe meuni

vous avez fait une erreur en me rendant la monnaie
you've given me the wrong change
youve guiveune mi Ze rong tchénge

je voudrais signaler la perte de mes cartes de crédit
I want to report the loss of my credit cards
aï ouonte tou riporte Ze losse ove maï crèdite-câdze

le distributeur de billets a avalé ma carte
the cash machine has swallowed my card
Ze cache meuchine HAZE souolôde maï câde

AU POSTE DE POLICE

on a forcé la porte de ma voiture
my car has been broken into
maï câ HAZE bine brôkeune ine-tou

on m'a volé mes papiers
my documents have been stolen
maï documeuntse HAVE bine stôleune

cet homme me suit depuis un moment
this man has been following me
Zisse mane HÈZE bine foloïne mi

je me suis fait attaquer
I've been mugged
aïve bine meugde

ma voiture a été emmenée à la fourrière
my car has been towed away
maï câ HAZE bine tôde aoué

?

VOUS VERREZ OU ENTENDREZ :

beware...	attention à...
break glass in case of fire	briser la vitre en cas d'incendie
do not...	interdiction de...
emergency exit	sortie de secours
forbidden	interdit
high voltage	ligne à haute tension
keep clear	ne pas obstruer
keep off the grass	pelouse interdite
keep out	entrée interdite
mind the step	attention à la marche
out of order	en panne
trespassers will be prosecuted	défense d'entrer sous peine de poursuites
warning	avertissement; danger!
999	numéro d'urgence qui regroupe Police secours, les pompiers et le SAMU

VOUS DIREZ :

arthrite	arthritis *arTHrai̇̈tisse*
avortement	abortion *euborcheune*
brûlure	burn *beurne*
cancer	cancer *cane-seur*
cassé	broken *brôkeune*
commotion cérébrale	concussion *cone-keucheune*
cystite	cystitis *sistaïtisse*
dent de sagesse	wisdom tooth *ouisdome touTH*
dentiste	dentist *dèntiste*
éruption	rash *rache*
fausse couche	miscarriage *misse-caridge*
handicapé	disabled *disébeulde*
hôpital	hospital *Hospiteule*
infirmière	nurse *neurse*
mal de dents	toothache *touTHéke*
malade	ill *ile*
maladie	disease *dizize*
médecin	doctor *dokteu*
migraine	migraine *migréne*
oreillons	mumps *mome-pse*
pansement	bandage *bane-didge*
pharmacie	chemist's *kèmistse*
préservatif	condom *cone-dome*
sang	blood *bleude*
santé	health *HèlTHe*
ulcère	ulcer *euleur*
varicelle	chickenpox *tchikeunpox*

je ne me sens pas bien
I don't feel well
aï done-te file ouèle

j'ai mal ici
I've got a pain here
aïve gote e péne Hire

ça fait mal
it hurts
ite Heurtse

ça empire
it's getting worse
itse guètine oueurse

je me sens mieux
I feel better
aï file bèteu

j'ai mal au cœur
I feel sick
aï file sike

j'ai mangé quelque chose qui n'est pas passé
I ate something which didn't agree with me
aï éte some-THine ouitche dideunte agri ouiZe mi

je vomis tout ce que je mange
I can't keep anything down
aï cânte kipe èniTHine daoune

j'ai la diarrhée
I've got diarrhoea
aïve gote daïeuri-eu

je suis allergique à l'aspirine
I'm allergic to aspirin
aïme aleurgike tou asprine

je suis asthmatique
I'm asthmatic
aïme asmatike

je suis diabétique
I'm diabetic
aïme daïabètike

il est cardiaque
he has a heart condition
Hi Haze e Hâte cone-dicheune

il souffre d'hypertension
he has high blood pressure
Hi Haze Haï bleude precheu

elle a une insolation
she's got sunstroke
*chize gote s**eu**ne-strôke*

je me suis fait piquer par une guêpe
I've been stung by a wasp
aïve bine steung baï e ouospe

je me suis tordu la cheville
I've twisted my ankle
*aïve tou**i**stide maï **è**nkeule*

je me suis blessé en tombant
I fell over and hurt myself
*aï fèle **ô**veu ènde heute m**aï**sèlfe*

il a beaucoup de fièvre
he's got a high temperature
*нize gote e нaï t**è**mpratcheu*

pouvez-vous appeler un médecin ?
could you call a doctor?
*coude you corle e d**o**cteu?*

y a-t-il un médecin parmi vous ?
is there a doctor here?
*ize Zère a d**o**cteu нire?*

c'est grave ?
is it serious?
*ize ite s**i**rieuze?*

il faudra l'opérer ?
will he need an operation?
*ouile нi nide eune opeur**é**cheune?*

avez-vous quelque chose contre... ?
have you got anything for...?
*нave you gote **è**niтнine fore...?*

j'ai besoin de solution de rinçage pour mes lentilles de contact
I need some rinsing solution for my contact lenses
*aï nide some r**i**ne-sine sol**ou**cheune fore maï c**o**netacte l**è**nzisse*

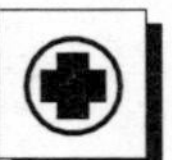

j'ai cassé mes lunettes, je dois les remplacer
I've broken my glasses, I need a new pair
*aïve br**ô**keune maï gl**â**ssize, aï nide e nu père*

je cherche un oculiste
I'm looking for an optician's
*aïme l**ou**kine fore eune opt**i**cheunze*

VOUS VERREZ OU ENTENDREZ :

A & E (accident and emergency)	urgences
casualty (dept)	urgences
(dispensing) chemist	pharmacie
first aid	premiers soins
GP	généraliste
NHS (National Health Service)	Sécurité sociale
painkiller	analgésique
prescription	ordonnance
surgery	cabinet médical
to be taken three times a day/before meals	à prendre trois fois par jour/avant les repas
ward	salle (d'hôpital)

j'aimerais apprendre à faire de la planche à voile
I want to learn to windsurf
aï ouonte tou leurne tou ouine -de-seurfe

est-ce que nous pouvons louer un bateau à voile ?
can we hire a sailing boat?
kène oui Haïeu e séline bôte?

est-ce que nous pouvons utiliser le court de tennis ?
can we use the tennis court?
kène oui iouze Ze tènisse corte?

où peut-on louer des raquettes de tennis ?
where can we hire tennis rackets?
ouère kène oui Haïre tènisse raquitse?

trente quinze
thirty fifteen
THeuti fiftine

quarante à
deuce
diousse

j'aimerais aller à un match de foot
I'd like to go to a football match
aïde laïke tou gô tou e foutbole matche

est-ce qu'il y a un match de rugby aujourd'hui ?
is there a rugby match on today?
ize Zère e reugbi matche one toudé?

est-ce qu'on peut faire de l'équitation ici ?
is it possible to do any horse-riding here?
ize ite possibeule tou dou èni Horse-raïdine Hire?

je suis venu faire du golf
I'm here to play golf
aïme Hire tou plé golfe

nous allons faire des randonnées
we're going to do some hill-walking
ouire goïne tou dou some Hile-ouorkine

vous pouvez m'apprendre à jouer aux fléchettes ?
can you teach me to play darts?
kène you titche mi tou plé dâtse?

c'est la première fois que j'en fais
this is the first time I've ever tried it
Zisse ize Ze feurste taïme aïve ***è****veu traïde ite*

y a-t-il une piscine dans les environs ?
is there a swimming pool around here?
*ize Zère e sou****i****mine poule eur****aou****nde нire?*

vous savez jouer au volley ?
do you know how to play volleyball?
*dou you nô нaou tou plé v****o****liborle?*

on fait une partie de billard ?
how about a game of billiards?
*нaou eub****aou****te e guéme ove b****i****lleudze?*

quel est le score ?
what's the score?
ouotse Ze score?

qui gagne ?
who's winning?
*нouze ou****i****ne-ine?*

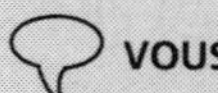

VOUS DIREZ :

colis	parcel *pâsseule*
envoyer	send *sènde*
lettre	letter *lèteu*
par avion	air mail *air méle*
poste	post office *pôste-ofisse*
recommandé	recorded delivery *ricordède dèlìveuri*
timbre	stamp *stame-pe*

quel est le tarif pour envoyer une lettre en France ?
how much is a letter to France?
наou meutche ize e lèteu tou frane-se?

j'aimerais quatre timbres à 26 pence
I'd like four twenty-six pence stamps
aïde laïke fore touène-ti-sixe pènse stame-pse

j'aimerais 6 timbres pour des cartes postales à destination de la France
I'd like six stamps for postcards to France
aïde laïde sixe stame-pse fore pôste-câdze tou frane-se

y a-t-il du courrier pour moi ?
is there any mail for me?
ize Zère èni méle fore mi?

j'attends un colis de...
I'm expecting a parcel from...
aïme èxpèctine e pâsseule frome...

VOUS VERREZ OU ENTENDREZ :

all other places	autres destinations
mail	courrier
next collection	prochaine levée
post code	code postal
post office	bureau de poste
registered	recommandé
sender	expéditeur
stamp	timbre

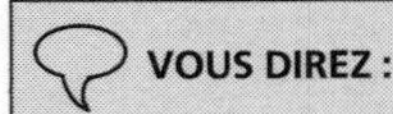

VOUS DIREZ :

annuaire	telephone directory *tèlèfône daïrèctori*
cabine téléphonique	phone box *fône boxe*
les pages jaunes	the yellow pages® *Ze yelo pédgize*
numéro	number *nome-beu*
occupé	engaged *inguédge-de*
opératrice	operator *opeuréteu*
portable	mobile *môbaïle*
poste (interne)	extension *ixtèncheune*
renseignements	directory enquiries *daïrèctori ine-couaïrize*
répondeur	answering machine *ânseurine meuchine*
télécarte®	phonecard *fône-câde*
téléphone	telephone *tèlèfône*
téléphone à carte	cardphone *câde-fône*
téléphoner	phone *fône*

y a-t-il un téléphone par ici ?
is there a phone round here?
ize Zère e fône raounde ʜire?

est-ce que je peux me servir de votre téléphone ?
can I use your phone?
kène aï iouze yore fône?

je voudrais téléphoner en France
I'd like to make a phone call to France
aïde laïke tou méke e fône corle tou frane-se

je veux téléphoner en PCV
I want to reverse the charges
aï ouonte tou rivèrse Ze tchârdgize

une télécarte® à cinq livres, s'il vous plaît
a five pound phonecard please
e faïve paounde fône-câde plize

ce téléphone accepte-t-il aussi les cartes de crédit ?
does this phone take credit cards as well?
doze Zisse fône téke crèdite-câdze aze ouèle?

quel est votre numéro de téléphone ?
what's your phone number?
ouotse yore fône nome-beu?

allô, c'est Pierre
hello, this is Pierre
Hèlô, Zisse ize Pierre

je voudrais parler à Patricia, s'il vous plaît
could I speak to Patricia?
coude aï spike tou Patricia?

est-ce que je peux laisser un message ?
can I leave a message?
kène aï live e mèssidge?

vous parlez français ?
do you speak French?
dou you spike frèntche?

qui est à l'appareil ?
who's calling please?
Houze corline plize?

pourriez-vous répéter cela très très lentement ?
could you say that again very very slowly?
coude you sé Zate euguène vèri vèri slôli?

pouvez-vous lui dire que Philippe a appelé ?
could you tell him/her Philippe called?
coude you tèle Hime/Heu Philippe corlde?

pouvez-vous lui demander de me rappeler ?
could you ask him/her to ring me back?
coude you aske Hime/Heu tou rine mi bake?

je rappellerai
I'll call back later
aïle corle bake léteu

voici mon numéro
my number is...
maï nome-beu ize...

voici le numéro de mon portable
I'll give you my mobile number
*aïle guive you maï m**ô**baïle n**o**me-beu*

776-3211
seven seven six-three two double one
*s**è**veune s**è**veune sixe-THri tou d**eu**beule ouone*

un instant, s'il vous plaît
just a minute please
*djeuste e m**i**nite plize*

il est sorti
he's out
Hize aoute

excusez-moi, je me suis trompé de numéro
sorry, I've got the wrong number
*s**o**ri, aïve gote Ze rone n**o**me-beu*

je vous entends très mal
I can hardly hear you
*aï kène Hâdli H**i**re you*

je n'ai plus de pièces
I haven't got any coins left
*aï H**è**veunte gote **è**ni coïnze lèfte*

veuillez laisser un message après le bip sonore
please leave a message after the tone
*plize live e m**è**sidge **a**fteu Ze tône*

j'ai laissé un message sur votre répondeur
I left a message on your answering machine
*aï lèfte e m**è**sidge one yore **â**nseurine meuch**i**ne*

pouvez-vous m'expliquer ce que dit le répondeur ?
can you tell me what the answering machine is saying?
*kène you tèle mi ouote Ze **â**nseurine meuch**i**ne ize s**é**-ine?*

L'ALPHABET

comment ça s'écrit ?
how do you spell it?
нaou dou you spèle ite?

ça s'écrit...
I'll spell it...
aïle spèle ite...

a *é*	**f** *èfe*	**k** *ké*	**p** *pi*	**u** *you*	**z** *zède*
b *bi*	**g** *dgi*	**l** *èle*	**q** *kiou*	**v** *vi*	
c *si*	**h** *étche*	**m** *ème*	**r** *âre*	**w** *d**eu**beul you*	
d *di*	**i** *aï*	**n** *ène*	**s** *èsse*	**x** *èxe*	
e *i*	**j** *dgé*	**o** *ô*	**t** *ti*	**y** *ouaï*	

VOUS VERREZ OU ENTENDREZ :

999 calls only	appels à Police secours, aux pompiers et au SAMU uniquement
dial number	composez le numéro
directory enquiries	les renseignements
engaged	occupé
follow on call	appuyez ici pour appeler un numéro en conservant la monnaie dans l'appareil
insert money	introduisez la somme nécessaire
lift handset	décrochez
listen for dialling tone	attendez la tonalité
long distance call	communication interurbaine
phonecard	télécarte®
replace handset	raccrochez
STD code	indicatif régional

speaking
*sp**i**kine*
lui-même/elle-même

hang on
Hèngue one
ne quittez pas

who's calling?
Houze corline?
qui est à l'appareil ?

DIALOGUE :

allô, les renseignements ? j'ai besoin d'un numéro de téléphone
hello, is that directory enquiries?
Hèlô, ize Zate daïrèctori ine-couaïrize?

what name?
ouote néme?
quel nom recherchez-vous ?

and the initials?, I've got quite a lot of them
ènde Ze ine-icheulze? aïve gote kouaïte e lote ove Zem
et les initiales ? j'en ai plusieurs

which town?
ouitche taoune?
dans quelle ville ?

do you know the address?
dou you nô Ze adresse?
connaissez-vous l'adresse ?

the number you require is...
Ze nome-beu you ricouaïeu ize...
le numéro que vous avez demandé est...

VOUS DIREZ :

arrobas	at *ate*
courrier électronique	e-mail *iméle*
fax	fax *fax*
faxer	fax *fax*
message électronique	e-mail *iméle*
modem	modem *modème*
numéro de fax	fax number *fax nome-beu*
page Web	Web page *ouèbe pédje*
point	dot *dote*
service de télécopie	fax service *fax seurvisse*
site Web	Web site *ouèbe saïte*
télécharger	download *daoune-lôde*
télécopie	fax *fax*
télécopieur	fax *fax*

j'aimerais envoyer un fax en France
I'd like to send a fax to France
aïde laïke tou sènde e fax tou Frane-se

pourriez-vous nous faxer votre réponse à ce numéro ?
could you fax us back your answer to this number?
coude you fax eusse bèke yore âne-seu tou Zisse nome-beu?

voici mon numéro de fax
here's my fax number
Hirze maï fax nome-beu

je vous l'enverrai par courrier électronique
I'll e-mail it to you
aïle iméle ite tou you

quelle est votre adresse électronique ?
what's your e-mail address?
ouotse yore iméle adresse?

0	zero *z**i**rô*
1	one *ouone*
2	two *tou*
3	three *THri*
4	four *fore*
5	five *faïve*
6	six *sixe*
7	seven *s**è**veune*
8	eight *éte*
9	nine *naïne*
10	ten *tène*
11	eleven *il**è**veune*
12	twelve *touèlve*
13	thirteen *TH**eu**tine*
14	fourteen *f**o**rtine*
15	fifteen *f**i**ftine*
16	sixteen *s**i**xe-tine*
17	seventeen *s**è**veune-tine*
18	eighteen ***é**tine*
19	nineteen *n**ai**ïne-tine*
20	twenty *tou**è**nti*
21	twenty-one *touènti-ou**o**ne*
22	twenty-two *touènti-t**ou***
30	thirty *TH**eu**ti*
35	thirty-five *TH**eu**ti-faïve*
40	forty *f**o**rti*
50	fifty *f**i**fti*
60	sixty *s**i**xe-ti*
70	seventy *s**è**veune-ti*
80	eighty ***é**ti*
90	ninety *n**aï**ne-ti*
100	a hundred *e H**o**ne-drède*
101	a hundred and one *e H**o**ne-drède ènde ouone*
200	two hundred *tou H**o**ne-drède*
1 000	a thousand *e TH**aou**zeunde*
2 000	two thousand *tou TH**aou**zeunde*
1 000 000	a million *e m**i**le-ione*

ⓘ *Remarquez qu'en anglais, on utilise parfois une virgule là où en français, il arrive qu'on trouve un point : ainsi le français 3.000 [trois mille] s'écrira quelquefois 3,000 en anglais. En revanche, l'anglais introduit la partie décimale d'un nombre par un point : 2.5 en anglais signifie donc 2,5 (deux et demi) en français.*

première	first *feurste*
deuxième	second *s**è**keunde*
troisième	third *THeurde*
quatrième	fourth *fore-TH*
cinquième	fifth *fife-TH*
sixième	sixth *sixe-TH*
septième	seventh *s**è**veun-TH*
huitième	eighth *éte-TH*
neuvième	ninth *naïne-TH*
dixième	tenth *tène-TH*
vingtième	twentieth *tou**è**ne-tieuTH*
vingt et unième	twenty-first *tou**è**nti-feurste*

quel jour sommes-nous ?
what's the date?
ouotse Ze déte?

nous sommes le 12 janvier 1999
it's the twelfth of January 1999
*itse Ze touèlfe-TH ove dj**a**ne-youèri n**aï**ne-tine-n**aï**ne-ti-naïne*

quelle heure est-il ?
what time is it?
ouote taïme ize ite?

il est midi/minuit
it's midday/midnight
*itse mide-d**é**/m**i**de-naïte*

il est une heure/trois heures
it's one/three o'clock
*itse ouone/THri eucl**o**ke*

il est trois heures vingt/moins vingt
it's twenty past three/twenty to three
*itse tou**è**nti paste THri/tou**è**nti tou THri*

il est huit heures et demie
it's half past eight
itse hafe paste éte

il est cinq heures et quart/moins le quart
it's a quarter past/a quarter to five
*itse e cou**o**rteu paste/e cou**o**rteu tou faïve*

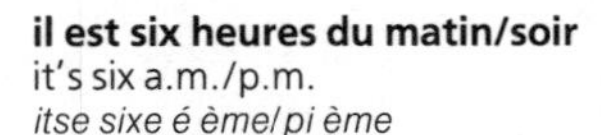

il est six heures du matin/soir
it's six a.m./p.m.
itse sixe é ème/pi ème

à quatorze/dix-sept heures
at two/five p.m.
ate tou/faïve pi ème

A

à: à la gare at the station; **à Londres** in London; **je vais à Paris/la gare** I'm going to Paris/ the station; **à 3 heures** at 3 o'clock; **à demain** see you tomorrow; **à la vôtre !** cheers!
abeille *f* bee
abord: d'abord first
abricot *m* apricot
accélérateur *m* accelerator
accent *m* accent
accepter accept
accident *m* accident
accompagner accompany
accord: d'accord OK; **je suis d'accord** I agree
acheter buy
acide sour
adaptateur *m* adaptor
addition *f* bill
adolescent *m* teenager
adresse *f* address
adulte *m/f* adult
aéroglisseur *m* hovercraft
aéroport *m* airport
affaires *fpl (commerce)* business
affiche *f* poster
affreux awful
after-shave *m* aftershave
âge *m* age; **quel âge avez-vous ?** how old are you?
agence *f* agency
agence de voyages *f* travel agent's
agenda *m* diary
agent de police *m* policeman
agneau *m* lamb
agrandissement *m* enlargement
agréable pleasant
agressif aggressive
agriculteur *m* farmer
aide *f* help
aider help
aiguille *f* needle
ail *m* garlic
aile *f* wing
ailleurs elsewhere
aimable kind
aimer like; *(d'amour)* love; **j'aimerais** I would like
air *m* air; **avoir l'air** look
alarme *f* alarm
alcool *m* alcohol
algues *fpl* seaweed
allaiter breastfeed
Allemagne *f* Germany
allemand German
aller go; **il va bien/mal** he's well/ not well; **allez-vous-en !** go away!; **le bleu me va bien** blue suits me
allergique à allergic to
aller-retour *m* return ticket
aller simple *m* single ticket
allumage *m* ignition
allumer *(feu)* light; *(lumière)* switch on
allumette *f* match
alors *(ensuite)* then; **alors !** well
alternateur *m* alternator
ambassade *f* embassy
ambulance *f* ambulance
améliorer improve
amende *f* fine
amer bitter
américain American
Amérique *f* America
ami *m* , **amie** *f* friend; **petit ami**

boyfriend; **petite amie** girlfriend
amortisseur *m* shock-absorber
amour *m* love; **faire l'amour** make love
ampoule *f (électrique)* light bulb; *(au pied)* blister
amuser: s'amuser have fun
an *m* year; **j'ai 25 ans** I'm 25 years old
analgésique *m* painkiller
ananas *m* pineapple
ancêtre *m* ancestor
ancien ancient
ancre *f* anchor
âne *m* donkey
angine *f* tonsillitis
angine de poitrine *f* angina
anglais English
Anglais *m* , **Anglaise** *f* Englishman, *f* Englishwoman; **les Anglais** the English
Angleterre *f* England
animal *m* animal
année *f* year; **bonne année !** happy New Year!
anniversaire *m* birthday; **bon anniversaire !** happy birthday!
anniversaire de mariage *m* wedding anniversary
annuaire *m* phone book
annuler cancel
anorak *m* anorak
antibiotique *m* antibiotic
antigel *m* antifreeze
antihistaminique *m* antihistamine
anti-insecte: la crème anti-insecte insect repellent
antiquaire *m (magasin)* antique shop
août August
apéritif *m* aperitif
appareil *m* device
appareil photo *m* camera
appartement *m* flat; *(de vacances)* apartment
appartenir belong to
appeler call; **comment vous appelez-vous ?** what's your name?; **je m'appelle Jean** my name is Jean
appendicite *f* appendicitis
appétit *m* appetite; **bon appétit !** enjoy your meal!
apporter bring
apprendre learn
après after
après-demain the day after tomorrow
après-midi *m/f* afternoon
arabe Arabic
araignée *f* spider
arbre *m* tree
arc-en-ciel *m* rainbow
archéologie *f* archaeology
arête *f* fishbone
argent *m (pour payer)* money; *(métal)* silver
armoire *f* cupboard
arôme *m* flavour
arrêt *m* stop
arrêt d'autobus *m* bus stop
arrêter *(coupable)* arrest; **s'arrêter** stop; **arrêtez !** stop!
arrière *m* back
arrière: la roue/le siège arrière the back wheel/seat
arrivée *f* arrival
arriver arrive; *(se passer)* happen

art *m* art
artificiel artificial
artisanat *m* crafts
artiste *m/f* artist
ascenseur *m* lift
asperges *fpl* asparagus
aspirateur *m* hoover®
aspirine *f* aspirin
asseoir: s'asseoir sit down
assez (de) enough; *(plutôt)* quite
assiette *f* plate
assurance *f* insurance
asthme *m* asthma
astucieux clever
Atlantique *m* Atlantic
attaque *f* attack; *(d'apoplexie)* stroke
attendre wait; **attendez-moi !** wait for me!
attention ! look out!; **faites attention !** be careful!
atterrir land
attraper catch
auberge de jeunesse *f* youth hostel
aubergine *f* aubergine
au-dessus de above
audiophone *m* hearing aid
aujourd'hui today
aussi also; **moi aussi** me too; **aussi beau que** as beautiful as
Australie *f* Australia
australien(-ne) Australian
authentique genuine
autobus *m* bus
automatique automatic
automne *m* autumn
automobile *f* car
automobiliste *m/f* car driver
autoradio *m* car radio
autoroute *f* motorway
autre other; **un/une autre** another; **autre chose** something else
Autriche *f* Austria
avaler swallow
avance: d'avance in advance; **en avance** early
avant before
avant *m* front
avant-hier the day before yesterday
avec with
averse *f* shower
aveugle blind
avion *m* plane; **par avion** by air
aviron *m* oar; *(sport)* rowing
avocat *m* lawyer
avoir have *(voir grammaire)*; **il y a trois jours** three days ago
avril April

B

baby-sitter *m/f* baby-sitter
bac *m (bateau)* ferry
bagages *mpl* luggage; **bagages à main** hand luggage; **faire ses bagages** pack
bagarre *f* fight
bague *f* ring
baguettes *fpl* chopsticks
baigner: se baigner go swimming
baignoire *f* bathtub
bain *m* bath
baiser *m* kiss
baladeur *m* walkman®
balai *m* broom
balcon *m* balcony

balle *f* ball
ballon *m* ball
banane *f* banana
bande dessinée *f* comic strip
banlieue *f* suburbs
banque *f* bank
bar *m* bar
barbe *f* beard
barbecue *m* barbecue
barman *m* barman
barrière *f* fence
bas low
bas *mpl* stockings
bateau *m* boat
bateau à vapeur *m* steamer
bateau à voile *m* sailing boat
bâtiment *m* building
batterie *f* battery
battre: se battre fight
baume après-shampooing *m* conditioner
baume pour les lèvres *m* lip salve
beau beautiful; **il fait beau** the weather is good
beaucoup a lot; **beaucoup de sucre** a lot of sugar; **beaucoup de gens/pays** many people/ countries
beau-fils *m* son-in-law
beau-père *m (père du conjoint)* father-in-law
bébé *m* baby
beige beige
belge Belgian
Belgique *f* Belgium
belle-fille *f* daughter-in-law
belle-mère *f (mère du conjoint)* mother-in-law
béquilles *fpl* crutches
besoin: j'ai besoin de... I need...
beurre *m* butter
bibliothèque *f* library
bicyclette *f* bicycle
bien well; **très bien !** good!
bien que although
bien sûr of course
bientôt soon
bienvenue ! welcome!
bière *f* beer
bijouterie *f* jeweller's
bijoux *mpl* jewellery
bikini *m* bikini
billet *m* ticket
billet de banque *m* banknote
billet open *m* open ticket
bizarre strange
blaireau *m (pour se raser)* shaving brush
blanc white
blanchisserie *f* laundry
blessé injured
blessure *f* wound
bleu *(adjectif)* blue; *(steak)* rare
bleu *m (sur la peau)* bruise
blond blond
bœuf *m (viande)* beef
boire drink
bois *m* wood
boisson *f* drink
boîte *f* box; *(de conserve)* can
boîte à lettres *f* letterbox
boîte de nuit *f* nightclub
boîte de vitesses *f* gearbox
bol *m* bowl
bombe *f* bomb
bon good
bonbon *m* sweet
bonde *f* plug
bondé crowded

bonjour hello
bon marché cheap
bonnet de bain *m* bathing cap
bonsoir good evening
bord *m* edge; **au bord de la mer** at the seaside
botte *f* boot
bottes de caoutchouc *fpl* wellingtons
bottin® *m* telephone directory
bouche *f* mouth
bouché blocked
boucherie *f* butcher's
boucles d'oreille *fpl* earrings
bouée *f* buoy
bouger move
bougie *f* candle; *(de voiture)* spark plug
bouilloire (électrique) *f* (electric) kettle
bouillir boil
bouillotte *f* hot-water bottle
boulangerie *f* baker's
boussole *f* compass
bouteille *f* bottle
boutique hors taxes *f* duty-free shop
bouton *m (de vêtement)* button; *(sur la peau)* spot
bracelet *m* bracelet
bras *m* arm
brique *f* brick
briquet *m* lighter
britannique British
broche *f (bijou)* brooch
bronzage *m* suntan
bronzer tan; **se faire bronzer** sunbathe
brosse *f* brush
brosse à dents *f* toothbrush
brouillard *m* fog
bruit *m* noise
brûler burn
brûlure *f* burn
brun brown
brushing® *m* blow-dry
bruyant noisy
bureau *m* office
butagaz *m* Calor gas®

C

ça it *(voir grammaire)*; **ça va ?** how are things?; **ça va** I'm OK
cabas *m* shopping bag
cabine *f* cabin
cabine téléphonique *f* phone box
cacahuètes *fpl* peanuts
cacao *m* cocoa
cacher hide
cadeau *m* present
cafard *m (insecte)* cockroach; **j'ai le cafard** I feel a bit down
café *m (boisson)* coffee; *(bistrot)* café; **café crème** white coffee; **café soluble** instant coffee
caféine *f* : **sans caféine** decaffeinated
cahier *m* notebook
caisse *f* cash desk
calculette *f* calculator
calendrier *m* calendar
calmer: se calmer calm down
caméra *f* camera
caméscope® *m* camcorder
camion *m* lorry
camionnette *f* van
campagne *f* countryside
camping *m (activité)* camping; *(terrain)* campsite

Canada *m* Canada
canadien Canadian
canal *m* canal
canard *m* duck
canif *m* penknife
canoë *m* canoe
caoutchouc *m* rubber
capitaine *m* captain
capot *m* bonnet
car *m* coach
caravane *f* caravan
carburateur *m* carburettor
carnet d'adresses *m* address book
carnet de chèques *m* cheque book
carte Eurochèque *f* Eurocheque card
carotte *f* carrot
carte *f (à jouer)* card; *(géographique)* map; *(des mets)* menu
carte de crédit *f* credit card
carte d'embarquement *f* boarding card
carte d'identité *f* ID card
carte des vins *f* wine list
carte de visite *f* card
carte postale *f* postcard
carton *m (boîte)* box; *(matière)* cardboard
cascade *f* waterfall
casque *m* helmet
casquette *f* cap
cassé broken
casse-croûte *m* snack
casser break
casserole *f* saucepan
cassette *f (audio)* cassette; *(vidéo)* video(tape)
cathédrale *f* cathedral
catholique Catholic
cauchemar *m* nightmare
cause *f* cause; **à cause de** because of
CD *m* CD
ce this
ceci this
ceinture *f* belt
ceinture de sécurité *f* seat belt
cela that
célèbre famous
célibataire single
célibataire *m* bachelor
cellophane® *f* cellophane®
celui-ci, celle-ci this one
celui-là, celle-là that one
cendrier *m* ashtray
centigrade centigrade
centre *m* centre
centre commercial *m* shopping centre
centre-ville *m* city centre
cerise *f* cherry
certificat *m* certificate
ces these
c'est it is
cette this
ceux-ci these
ceux-là those
chaîne *f* chain
chaise *f* chair
chaise longue *f* deck chair
chaleur *f* heat
chambre *f* room; **chambre pour une personne/deux personnes** single/double room
chambre à air *f* inner tube
chambre à coucher *f* bedroom
champ *m* field

champignons *mpl* mushrooms
chance *f* luck; **bonne chance !** good luck!
changer change; **se changer** change; **changer de train** change trains
chanson *f* song
chanter sing
chapeau *m* hat
chaque each
chariot *m* trolley
charter *m* charter flight
chat *m* cat
château *m* castle
chaud hot
chaudière *f* boiler
chauffage *m* heating
chauffage central *m* central heating
chauffe-eau *m* water heater
chaussettes *fpl* socks
chaussures *fpl* shoes
chaussures de ski *fpl* ski boots
chauve bald
chemin *m* path
chemin de fer *m* railway
chemise *f* shirt
chemise de nuit *f* nightdress
chemisier *m* blouse
chèque *m* cheque
chèque de voyage *m* traveller's cheque
chéquier *m* cheque book
cher *(aimé)* dear; *(coûteux)* expensive
chercher look for
cheval *m* horse
cheveux *mpl* hair
cheville *f* ankle
chèvre *f* goat
chewing-gum *m* chewing gum
chez: chez Betty at Betty's
chien *m* dog
chips *fpl* crisps
choc *m* shock
chocolat *m* chocolate; **chocolat au lait/à croquer** milk/plain chocolate; **chocolat chaud** hot chocolate
choisir choose
chômage *m* : **au chômage** unemployed
chose *f* thing
chou *m* cabbage
chou à la crème *m* cream puff
chou-fleur *m* cauliflower
choux de Bruxelles *mpl* Brussels sprouts
cidre *m* cider
ciel *m* sky
cigare *m* cigar
cigarette *f* cigarette
cimetière *m* cemetery
cinéma *m* cinema
cintre *m* coathanger
cirage *m* shoe polish
circulation *f (de voitures)* traffic
ciseaux *mpl* scissors
citron *m* lemon
clair clear; **bleu clair** light blue
classe *f* class
clé *f* key
clé anglaise *f* wrench
clignotant *m* indicator
climat *m* climate
climatisation *f* air-conditioning
climatisé air-conditioned
cloche *f* bell
clou *m* nail
club *m* club

cochon *m* pig
cocktail *m* cocktail
code de la route *m* highway code
cœur *m* heart
coffre *m (de voiture)* boot
cognac *m* brandy
coiffeur *m* , **coiffeuse** *f* hairdresser
coin *m* corner
coincé stuck
col *m (de vêtement)* collar; *(de montagne)* pass
colis *m* parcel
collants *mpl* tights
colle *f* glue
collection *f* collection
collier *m* necklace
colline *f* hill
collision *f* crash
combien ? *(nombre)* how many?; *(quantité)* how much?
commander order
comme *(de la même manière que)* like; *(parce que)* as; **comme ci comme ça** so-so
commencer begin
comment ? how?; *(pardon ?)* pardon ?
commissariat *m* police station
compagnie aérienne *f* airline
compartiment *m* compartment
complet *m* suit
compliment *m* compliment
compliqué complicated
comprendre understand
comprimé *m* tablet
compris *(inclus)* included; **tout compris** all inclusive
comptant: payer comptant pay cash
compteur *m (de voiture)* speedometer
concert *m* concert
concessionnaire *m* agent
concierge *m/f* caretaker
concombre *m* cucumber
conducteur *m* driver
conduire drive
confirmer confirm
confiture *f* jam; **confiture d'oranges** *f* marmalade
confortable comfortable
congélateur *m* freezer
connaître know
conseiller advise
consigne *f* left luggage
constipé constipated
consulat *m* consulate
contacter contact
content pleased
contraceptif *m* contraceptive
contractuel *m* traffic warden
contraire *m* opposite
contre against
coqueluche *f* whooping cough
coquetier *m* egg cup
coquillage *m* shell
corde *f* rope
cordonnier *m* cobbler
cornemuse *f* bagpipes
corps *m* body
correct correct
correspondance *f (de trains)* connection
corridor *m* corridor
côte *f (rive)* coast; *(de corps)* rib
côté *m* side; **à côté de** next to
côtelette *f* chop
coton *m* cotton
coton hydrophile *m* cotton wool

cou *m* neck
coucher: aller se coucher go to bed
coucher de soleil *m* sunset
couches jetables *fpl* disposable nappies
couchette *f* couchette
coude *m* elbow
coudre sew
couler *(bateau)* sink
couleur *f* colour
couloir d'autobus *m* bus lane
coup *m* blow; **tout à coup** suddenly
coup de soleil *m* sunburn
coupe de cheveux *f* haircut
coupe-ongles *m* nail clippers
couper cut
coupure de courant *f* power cut
courageux brave
courant d'air *m* draught
courir run
courrier *m* mail
courrier électronique *m* e-mail
courroie du ventilateur *f* fan belt
cours du change *m* exchange rate
cours de langues *m* language course
court short
cousin *m* , **cousine** *f* cousin
couteau *m* knife
coûter cost
coutume *f* custom
couvercle *m* lid
couverts *mpl* cutlery
couverture *f* blanket
crabe *m* crab
crampe *f* cramp
crâne *m* skull
cravate *f* tie
crayon *m* pencil
crèche *f* creche
crème *f* cream
crème *m* white coffee
crème Chantilly *f* whipped cream
crème de beauté *f* cold cream
crème hydratante *f* moisturizer
crêpe *f* pancake
crevaison *f* puncture
crevette *f* prawn
cric *m* jack
crier scream
crise cardiaque *f* heart attack
croire believe
croisement *m* junction
croisière *f* cruise
cru raw
crustacés *mpl* shellfish
cuiller *f* spoon
cuir *m* leather
cuire cook; *(gâteau)* bake
cuisine *f* cooking; *(pièce)* kitchen
cuisinier *m* cook
cuisinière *f (appareil)* cooker
cuit: trop cuit overdone; **mal cuit** underdone; **bien cuit** well done
curry *m* curry
cyclisme *m* cycling
cycliste *m/f* cyclist

D

daim *m* suede
dame *f* lady
danger *m* danger
dangereux dangerous
dans in
danse classique *f* ballet dancing
danse moderne *f* modern dance
danser dance

date *f* date
de *(appartenance)* of; **le nez de Cleo** Cleo's nose; **la voiture des propriétaires** the owners' car; **de Plymouth à Inverness** from Plymouth to Inverness; **du vin/de la farine/des biscuits** (some) wine/flour/biscuits; **avez-vous du beurre/des bananes?** have you got any butter/bananas?
début *m* beginning; **au début** in the beginning
débutant *m* beginner
décembre December
décider decide
décoller take off
déçu disappointed
défaire: défaire sa valise unpack
défectueux faulty
défendu forbidden
dégoûtant disgusting
dehors outside; **dehors !** get out!
déjà already
déjeuner *m* lunch
delco® *m* distributor
délicieux delicious
demain tomorrow
demander ask
démangeaison *f* itch
démaquillant *m* skin cleanser; *(pour les yeux)* eye make-up remover
demi: un demi-litre/une demi-journée half a litre/day; **une demi-heure** half an hour
demi-pension *f* half board
dent *f* tooth, *pl* teeth
dentier *m* dentures
dentifrice *m* toothpaste
dentiste *m* dentist
déodorant *m* deodorant
départ *m* departure
dépêcher: se dépêcher hurry; **dépêchez-vous !** hurry up!
dépendre: ça dépend it depends
dépenser spend
dépliant *m* leaflet
dépression *f* nervous breakdown
déprimé depressed
depuis (que) since
déranger disturb; **ça vous dérange si... ?** do you mind if...?
déraper skid
dernier last; **l'année dernière** last year
derrière *m (du corps)* bottom
derrière behind
des *(voir DE)*
désagréable unpleasant
désastre *m* disaster
descendre go down; *(de véhicule)* get off
désinfectant *m* disinfectant
désolé: je suis désolé I'm sorry
dessert *m* dessert
dessous underneath
détendre: se détendre relax
détester hate
devant in front of
développer develop
devenir become
devoir: je dois/il doit I/he must
diabétique diabetic
dialecte *m* dialect
diamant *m* diamond
diapositive *f* slide
diarrhée *f* diarrhoea
dictionnaire *m* dictionary

Dieu *m* God
différent different
difficile difficult
dimanche Sunday
dinde *f* turkey
dîner *m* dinner
dîner have dinner
dire say
direct direct
direction *f* direction; *(de voiture)* steering
discothèque *f* disco
disparaître disappear
disquaire *m* record shop
disque *m* record
disque compact *m* compact disc
disquette *f* diskette
dissolvant *m* nail-polish remover
distance *f* distance
distributeur de billets *m* cash dispenser
divorcé divorced
docteur *m* doctor
document *m* document
doigt *m* finger
dommage: c'est dommage it's a pity
donner give
dont whose
dormir sleep
dos *m* back
douane *f* customs
double double
doubler *(en voiture)* overtake
douche *f* shower
douleur *f* pain
douloureux painful
doux *(au toucher)* soft; *(au goût)* sweet
drap *m* sheet; **les draps de lit** bed linen
drapeau *m* flag
drogue *f* drug
droit straight; **tout droit** straight ahead
droite right; **à droite (de)** on the right (of)
drôle funny
du *(voir DE)*
dunes *fpl* sand dunes
dur hard
duvet *m* sleeping bag

E

eau *f* water; **eau potable** drinking water
eau de Javel *f* bleach
eau de toilette *f* eau de toilette
eau minérale *f* mineral water
échanger exchange
écharpe *f* scarf
échelle *f* ladder
école *f* school
école de langues *f* language school
écossais Scottish
Ecosse *f* Scotland
écouter listen (to)
écrire write
écrou *m* nut
église *f* church
élastique *m* rubber band
élastique elastic
électricien *m* electrician
électricité *f* electricity
électrique electric
elle she; her *(voir grammaire)*
elles they; them *(voir grammaire)*
emballer wrap

embouteillage *m* traffic jam

embranchement *m* fork

embrasser kiss

embrayage *m* clutch

emmener *(en voiture)* give a lift to

emporter take

emprunter borrow

en: en France/1945/anglais in France/1945/English; **je vais en France;** I'm going to France; **en voiture** by car

en bas *(dans maison)* downstairs

en haut *(dans maison)* upstairs

enceinte pregnant

enchanté ! pleased to meet you!

encore *(de nouveau)* again; *(toujours)* still; **encore une bière** another beer; **encore plus beau** even more beautiful; **pas encore** not yet

endommager damage

endormi asleep

en face de opposite

enfant *m* child, *pl* children

enfin at last

enflé swollen

enlever take away

ennuyeux *(désagréable)* annoying; *(lassant)* boring

enregistrement des bagages *m* check-in

enrhumé: je suis enrhumé I've got a cold

enseignant *m* teacher

enseigner teach

ensemble together

ensoleillé sunny

ensuite afterwards

entendre hear

enterrement *m* funeral

entier whole

entonnoir *m* funnel

entre between

entrée *f* entrance; *(de repas)* starter

entremets *m* dessert

entrer go in; **entrez !** come in!

enveloppe *f* envelope

envie *f* : **j'ai envie de...** I feel like...

environ about

envoyer send

épais thick

épaule *f* shoulder

épice *f* spice

épicerie *f* grocer's

épileptique epileptic

épinards *mpl* spinach

épingle *f* pin

épingle de nourrice *f* safety pin

épouse *f* wife

épouvantable terrible

équipage *m* crew

équipe *f* team

équitation *f* horse riding

erreur *f* mistake

escalade *f* (rock) climbing

escalier *m* stairs

escargot *m* snail

Espagne *f* Spain

espagnol Spanish

espérer hope

esquimau® *m (glace)* ice lolly

essayer try; *(vêtement)* try on

essence *f* petrol

essence sans plomb *f* unleaded petrol

essieu *m* axle

essuie-glace *m* windscreen-wiper

est *m* east; **à l'est de** east of
estomac *m* stomach
et and
étage *m* floor
étang *m* pond
état *m* state
Etats-Unis *mpl* United States
été *m* summer
éteindre switch off
étendre: s'étendre stretch; *(se reposer)* lie down
éternuer sneeze
étiquette *f* label
étoile *f* star
étonnant astonishing
étranger *m (personne)* foreigner; **à l'étranger** abroad
étranger foreign
être *(verbe)* be *(voir grammaire)*
étroit narrow; *(vêtement)* tight
étudiant *m* , **étudiante** *f* student
eurochèque *m* Eurocheque
Europe *f* Europe
européen European
Eurotunnel *m* Eurotunnel
eux them *(voir grammaire)*
évanouir: s'évanouir faint
évident obvious
évier *m* sink
exagérer exaggerate
excédent de bagages *m* excess baggage
excellent excellent
excursion *f* trip
excuser: s'excuser apologize; **excusez-moi** sorry
exemple *m* example; **par exemple** for example
exiger demand
expliquer explain
exposition *f* exhibition
exprès *(délibérément)* deliberately; **par exprès** special delivery
extincteur *m* fire extinguisher
eye-liner *m* eyeliner

F

fâché angry
facile easy
facteur *m* postman
faible weak
faim *f* : **j'ai faim** I'm hungry
faire do; *(préparer)* make; **ça ne fait rien** it doesn't matter
falaise *f* cliff
falloir: il faut que je/vous... I/you must...
famille *f* family
farine *f* flour
fatigué tired
fauché: je suis fauché I'm broke
faute *f* : **c'est de ma faute** it's my fault
fauteuil roulant *m* wheelchair
faux wrong
fax *m* fax
félicitations ! congratulations!
féministe feminist
femme *f* woman; *(épouse)* wife
femme de chambre *f* chambermaid
femme de ménage *f* cleaning lady
fenêtre *f* window
fer *m* iron
fer à repasser *m* iron
ferme *f* farm
fermé closed
fermer close; **fermer à clé** lock

fermeture éclair® *f* zip
ferry *m* ferry
fête *f* party
feu *m* fire; **vous avez du feu ?** have you got a light?
feuille *f* leaf
feux arrière *mpl* rear lights
feux d'artifice *mpl* fireworks
feux de position *mpl* sidelights
feux de signalisation *mpl* traffic lights
février February
fiancé *m* , **fiancée** *f* fiancé, fiancée
fiancé engaged
ficelle *f* string
fier proud
fièvre *f* fever
fil *m* thread
fil de fer *m* wire
filet *m (viande)* fillet
fille *f* girl; *(de parents)* daughter
film *m* film
fils *m* son
filtre *m* filter
fin *f* end
fin *(adjectif)* fine
finir finish
flash *m* flash
fleur *f* flower
fleuriste *m* florist's
flirter flirt
foie *m* liver
foire *f* fair
fois *f* time; **une fois** once
fond *m* bottom; **au fond de** at the bottom of
fond de teint *m* foundation cream
fontaine *f* fountain
football *m* football
forêt *f* forest
forme *f* : **en forme** fit
formulaire *m* form
fort strong; *(son)* loud
fou mad
foulard *m* scarf
foule *f* crowd
fouler: je me suis foulé la cheville I've sprained my ankle
four *m* oven
fourchette *f* fork
fourmi *f* ant
fracture *f* fracture
frais fresh
fraise *f* strawberry
framboise *f* raspberry
français French
Français *m* Frenchman; **une Française** a French woman; **les Français** the French
France *f* France
frapper hit; *(à la porte)* knock
frein *m* brake
frein à main *m* handbrake
freiner brake
frère *m* brother
frigidaire ® *m* fridge
frire fry
frites *fpl* chips
froid cold
fromage *m* cheese
front *m* forehead
frontière *f* border
fruits *mpl* fruit
fruits de mer *mpl* seafood
fuite *f (d'eau, etc.)* leak
fumée *f* smoke
fumer smoke
fumeurs *(compartiment)*

smoking
furieux furious
fusible *m* fuse
fusil *m* gun
futur *m* future

G

gagner win; *(salaire, etc.)* earn
galerie *f (de voiture)* roof rack
gallois Welsh
gants *mpl* gloves
garage *m* garage
garantie *f* guarantee
garçon *m (enfant)* boy; *(serveur)* waiter
garder keep
gare *f* station
garer: se garer park
gare routière *f* bus station
gas-oil *m* diesel
gâteau *m* cake; **petit gâteau** biscuit
gauche *f* left; **à gauche (de)** on the left (of)
gaucher left-handed
gay gay
gaz *m* gas
gazeux fizzy
gel *m* frost; *(de douche, etc.)* gel
gênant embarrassing
genou *m* knee
gens *mpl* people
gentil nice, kind
gibier *m* game
gilet *m* cardigan
gin *m* gin
gin-tonic *m* gin and tonic
glace *f (eau gelée)* ice; *(à manger)* ice cream
glaçon *m* ice cube
glissant slippery
golf *m* golf
gomme *f* rubber
gorge *f* throat
goût *m* taste
goûter taste
goutte *f* drop
gouvernement *m* government
grammaire *f* grammar
grand large; *(haut)* tall
Grande-Bretagne *f* Great Britain
grand magasin *m* department store
grand-mère *f* grandmother
grand-père *m* grandfather
gras *m* fat
gras greasy
gratuit free
grec Greek
Grèce *f* Greece
grêle *f* hail
grillé grilled
grippe *f* flu
gris grey
gros big; *(personne)* fat
grossier rude
grotte *f* cave
groupe *m* group
groupe sanguin *m* blood group
guêpe *f* wasp
guerre *f* war
gueule de bois *f* hangover
guichet *m* ticket office; *(théâtre)* box office
guide *m* guide
guide de conversation *m* phrase book
guitare *f* guitar

H

habiller dress; **s'habiller** dress
habiter live
habitude *f* habit; **d'habitude** usually
habituel usual
hache *f* axe
hamburger *m* hamburger
hanche *f* hip
handicapé disabled
haricots *mpl* beans; **haricots verts** green beans
hasard *m* : **par hasard** by chance
haut high
hélicoptère *m* helicopter
hémorroïdes *fpl* piles
herbe *f* grass; **des fines herbes** herbs
heure *f* hour; **quelle heure est-il?** what time is it?; **à l'heure** on time
heureusement fortunately
heureux happy
hier yesterday
histoire *f (passé)* history; *(racontée)* story
hiver *m* winter
hobby *m* hobby
hollandais Dutch
Hollande *f* Holland
homard *m* lobster
homme *m* man
homosexuel gay
honnête honest
honteux ashamed
hôpital *m* hospital
hoquet *m* hiccups
horaire *m* timetable
horloge *f* clock
horrible horrible
hors-bord *m* motorboat
hors-service out of order
hors taxes duty-free
hospitalité *f* hospitality
hôtel *m* hotel
hôtesse de l'air *f* air hostess
hoverport *m* hoverport
huile *f* oil
huile d'olive *f* olive oil
huile solaire *f* suntan oil
huître *f* oyster
humeur *f* mood
humide damp
humour *m* humour
hypermarché *m* hypermarket

I

ici here
idée *f* idea
idiot *m* idiot
il he
île *f* island
ils they
immédiatement immediately
imperméable *m* raincoat
important important
impossible impossible
imprimé *m* printed matter
incroyable incredible
indépendant independent
indicatif *m (téléphonique)* dialling code
indice de protection *m* protection factor
indigestion *f* indigestion
industrie *f* industry
infection *f* infection
infirmière *f* nurse

informations *fpl* information; *(média)* news
infusion *f* herbal tea
innocent innocent
insecte *m* insect
isolation *f* sunstroke
insomnie *f* insomnia
instrument de musique *m* musical instrument
insupportable obnoxious
intelligent intelligent
interdit prohibited
intéressant interesting
intérieur *m* : **à l'intérieur** inside
interrupteur *m* switch
intoxication alimentaire *f* food poisoning
invitation *f* invitation
invité(e) *m/f* guest
inviter invite
irlandais Irish
Irlande *f* Ireland
Irlande du Nord *f* Northern Ireland
Italie *f* Italy
italien Italian
itinéraire *m* route
ivre drunk

J

jaloux jealous
jamais never; **avez-vous jamais... ?** have you ever...?
jambe *f* leg
jambon *m* ham
janvier January
jardin *m* garden
jauge *f* gauge
jaune yellow
jazz *m* jazz
je I
jean *m* jeans
jeter throw; *(à la poubelle)* throw away
jeu *m* game
jeudi Thursday
jeune young
jogging *m* jogging; **je fais du jogging** I go jogging
joli pretty
jouer play
jouet *m* toy
jour *m* day
jour férié *m* public holiday
journal *m* newspaper
journée *f* day
juif Jewish
juillet July
juin June
jumeaux *mpl*, **jumelles** *fpl* twins
jupe *f* skirt
jus *m* juice
jusqu'à (ce que) until
juste *(équitable)* fair; *(exact)* right

K

kilo *m* kilo
kilomètre *m* kilometre
klaxon® *m* horn
kleenex® *mpl* tissues
K-way® *m* cagoule

L

la *(article)* the; *(pronom)* her, it *(voir grammaire)*
là there

là-bas over there; *(en bas)* down there
lac *m* lake
lacets *mpl* shoe laces
là-haut up there
laid ugly
laine *f* wool
laisser let; *(abandonner)* leave
lait *m* milk
lait après-soleil *m* aftersun lotion
lait solaire *m* suntan lotion
laitue *f* lettuce
lame de rasoir *f* razor blade
lampe *f* lamp
lampe de poche *f* torch
lancer throw
landau *m* pram
langouste *f* crayfish
langoustine *f* crayfish
langue *f* tongue; *(parlée)* language
lapin *m* rabbit
laque *f* hair spray
lard *m* bacon
large wide
lavabo *m* washbasin
laver wash; **se laver** wash
laverie (automatique) *f* launderette
laxatif *m* laxative
le *(article)* the; *(pronom)* him, it *(voir grammaire)*
leçon *f* lesson
lecteur de cassettes *m* cassette player
lecteur de disques compacts *m* CD player
léger light
légumes *mpl* vegetables
lent slow
lentement slowly
lentilles de contact *fpl* contact lenses
lentilles dures *fpl* hard lenses
lentilles semi-rigides *fpl* gas-permeable lenses
lentilles souples *fpl* soft lenses
les *(article)* the; *(pronom)* them *(voir grammaire)*
lesbienne *f* lesbian
lessive *f (en poudre)* washing powder; **faire la lessive** do the washing
lettre *f* letter
leur *(possessif)* their; *(pronom)* them; **le/la leur** theirs *(voir grammaire)*
lever: se lever get up
levier de vitesses *m* gear lever
lèvre *f* lip
librairie *f* bookshop
libre free
lime à ongles *f* nailfile
limitation de vitesse *f* speed limit
limonade *f* lemonade
lingerie *f* lingerie
linge sale *m* laundry
liqueur *f* liqueur
liquide: en liquide in cash
lire read
liste *f* list
lit *m* bed; **lit pour une personne/deux personnes** single/double bed
lit de camp *m* campbed
lit d'enfant *m* cot
litre *m* litre
lits superposés *mpl* bunk beds
living *m* living room

livre *f* pound
livre *m* book
location de voitures *f* car rental
locomotive *f* engine
logement *m* accommodation
loger stay
loi *f* law
loin far; **plus loin** further
Londres London
long long
longtemps a long time
longueur *f* length
lorsque when
lotion *f* lotion
louer rent; **à louer** to rent
lourd heavy; *(nourriture)* rich
loyer *m* rent
lui him, *f* her *(voir grammaire)*
lumière *f* light
lundi Monday
lune *f* moon
lunettes *fpl* glasses
lunettes de soleil *fpl* sunglasses
Luxembourg *m* Luxembourg
luxembourgeois Luxembourg

M

M: M. Dumas Mr Dumas
ma my *(voir grammaire)*
machine à laver *f* washing machine
macho macho
mâchoire *f* jaw
madame: Madame... Mrs...; **pardon madame** excuse me
Mademoiselle Miss
magasin *m* shop
magasin de produits diététiques *m* health food shop
magazine *m* magazine
magnétoscope *m* video
mai May
maigre skinny
maillot de bain *m* swimming costume
main *f* hand
maintenant now
mairie *f* town hall
mais but
maison *f* house; **à la maison** at home; **fait maison** home-made
mal *m* : **j'ai mal ici** I have a pain here; **j'ai mal à la tête/gorge** I've got a headache/sore throat; **ça fait mal** it hurts
mal *(adverbe)* badly; **je me sens mal** I feel sick
malade ill
maladie *f* disease
maladie vénérienne *f* VD
mal de mer *m* : **j'ai le mal de mer** I feel seasick
mal du pays *m* : **j'ai le mal du pays** I'm homesick
malentendu *m* misunderstanding
malheureusement unfortunately
maman *f* mum
Manche *f* (English) Channel
manger eat
manquer: tu me manques I miss you
manteau *m* coat
maquillage *m* make-up
marchand de légumes *m* greengrocer
marchand de vins *m* wine merchant
marché *m* market
marche arrière *f* reverse gear

marcher walk; **ça ne marche pas** it's not working
mardi Tuesday
marée *f* tide
margarine *f* margarine
mari *m* husband
mariage *m* wedding
marié married
marre: j'en ai marre (de) I'm fed up (with)
marron *m* chestnut
marron brown
mars March
marteau *m* hammer
mascara *m* mascara
match *m* match
matelas *m* mattress
matin *m* morning
mauvais bad
maux d'estomac *mpl* stomach ache
mayonnaise *f* mayonnaise
me me *(voir grammaire)*
mécanicien *m* mechanic
médecin *m* doctor
médicament *m* medicine
Méditerranée *f* Mediterranean
méduse *f* jellyfish
meilleur: le meilleur the best; **meilleur que** better than
mélanger mix
melon *m* melon
même *(identique)* same; **même les hommes/si** even men/if; **moi/lui-même** myself/himself
mentir lie
menton *m* chin
menu *m (du jour)* set menu
mer *f* sea
merci thank you
mercredi Wednesday
mère *f* mother
merveilleux wonderful
mes my *(voir grammaire)*
message *m* message
messe *f* mass
métal *m* metal
météo *f* weather forecast
métier *m* job
mètre *m* meter
métro *m* underground
mettre put
meubles *mpl* furniture
micro-ondes *m* microwave
midi midday
miel *m* honey
mien: le mien, la mienne mine *(voir grammaire)*
mieux better
milieu *m* middle
milk-shake *m* milkshake
mince thin
minuit midnight
minute *f* minute
miroir *m* mirror
Mlle Miss, Ms
Mme Mrs, Ms
mode *f* fashion; **à la mode** fashionable
moderne modern
moi me *(voir grammaire)*
moins less; **au moins** at least
mois *m* month
moitié *f* half
mon my *(voir grammaire)*
monde *m* world; **tout le monde** everyone
moniteur *m* , **monitrice** *f* instructor
monnaie *f* change

Monsieur *m* gentleman; **Monsieur...** Mr...; **pardon monsieur** excuse me
montagne *f* mountain
monter go up; *(dans véhicule)* get in
montre *f* watch
montrer show
monument *m* monument
moquette *f* carpet
morceau *m* piece
morsure *f* bite
mort *f* death
mort dead
mot *m* word
moteur *m* engine
moto *f* motorbike
mouche *f* fly
mouchoir *m* handkerchief
mouette *f* seagull
mouillé wet
moules *fpl* mussels
mourir die
mousse à raser *f* shaving foam
mousse coiffante *f* styling mousse
moustache *f* moustache
moustique *m* mosquito
moutarde *f* mustard
mouton *m* sheep
moyen âge *m* Middle Ages
mur *m* wall
mûr ripe
mûre *f* blackberry
muscle *m* muscle
musée *m* museum; **musée (de peinture)** art gallery
musique *f* music; **musique classique/folklorique/pop** classical/folk/pop music
myope shortsighted

N

nager swim
naître: je suis né en 1963 I was born in 1963
nappe *f* tablecloth
natation *f* swimming
nationalité *f* nationality
nature *f* nature
naturel natural
navette *f* shuttle; *(de l'aéroport)* airport bus
nécessaire necessary
négatif *m* negative
neige *f* snow
néo-zélandais New Zealand
nerveux nervous
nettoyer clean
neuf new
neveu *m* nephew
névrosé neurotic
nez *m* nose
ni... ni... neither... nor...
nièce *f* niece
Noël Christmas; **joyeux Noël !** happy Christmas!
noir black
noir et blanc black and white
noisette *f* hazelnut
noix *f* walnut
nom *m* name
nom de famille *m* surname
nom de jeune fille *m* maiden name
non no
non-fumeurs non-smoking
nord *m* north; **au nord de** north of

normal normal
nos our *(voir grammaire)*
note *f (addition)* bill
notre our *(voir grammaire)*
nôtre: le/la nôtre ours *(voir grammaire)*
nourriture *f* food
nous we; *(objet)* us *(voir grammaire)*
nouveau new; **de nouveau** again
Nouvel An *m* New Year
nouvelles *fpl* news
Nouvelle-Zélande New Zealand
novembre November
nu naked
nuage *m* cloud
nuageux cloudy
nuit *f* night; **bonne nuit** good night
nulle part nowhere
numéro *m* number
numéro de téléphone *m* phone number

O

objectif *m (d'appareil photo)* lens
objets trouvés *mpl* lost property office
obtenir get
obturateur *m* shutter
occasion *f* : **d'occasion** second-hand
occupé *(téléphone, WC)* engaged; *(personne)* busy
occuper: s'occuper de take care of
octobre October
odeur *f* smell
œil *m* eye
œuf *m* egg; **œuf dur/à la coque** hard-boiled/boiled egg; **œufs brouillés** scrambled eggs
offrir offer; *(cadeau)* give
oie *f* goose
oignon *m* onion
oiseau *m* bird
olive *f* olive
ombre *f* shadow; **à l'ombre** in the shade
ombre à paupières *f* eye shadow
omelette *f* omelette
on one; you; *(nous)* we; **on dit que** they say that; **on vous demande** someone is asking for you *(voir grammaire)*
oncle *m* uncle
ongle *m* fingernail
opéra *m* opera
opération *f* operation
opticien *m* optician
optimiste optimistic
or *m* gold
orage *m* thunderstorm
orange *f* orange
orange *(couleur)* orange
orchestre *m* orchestra
ordinateur *m* computer
ordinateur portable *m* laptop
ordonnance *f* prescription
ordures *fpl* litter
oreille *f* ear
oreiller *m* pillow
organiser organize
orteil *m* toe
os *m* bone
oser dare
ou or

où where
oublier forget
ouest *m* west; **à l'ouest de** west of
oui yes
outil *m* tool
ouvert open
ouvre-boîte *m* tin-opener
ouvre-bouteille *m* bottle-opener
ouvrir open

P

pagaille *f* mess
page *f* page
pain *m* bread; **pain blanc/complet** white/wholemeal
paire *f* pair
palais *m* palace
pamplemousse *m* grapefruit
panier *m* basket
panique *f* panic
panne *f* breakdown; **tomber en panne** break down
panneau de signalisation *m* roadsign
pansement *m* bandage
pansement adhésif *m* Elastoplast®
pantalon *m* trousers
pantoufles *fpl* slippers
papa *m* dad
papeterie *f* stationer's
papier *m* paper
papier à lettres *m* writing paper
papier d'argent *m* silver foil
papier d'emballage *m* wrapping paper
papier hygiénique *m* toilet paper
papillon *m* butterfly
Pâques Easter
paquet *m* package; *(de cigarettes)* packet
par by; *(à travers)* through; **par semaine** per week
parapluie *m* umbrella
parc *m* park
parce que because
parcmètre *m* parking meter
pardon excuse me
pare-brise *m* windscreen
pare-chocs *m* bumper
pareil the same
parents *mpl* relatives; *(père et mère)* parents
paresseux lazy
parfait perfect
parfois sometimes
parfum *m* perfume
parking *m* car park
parler speak
parmi among
partager share
partie *f* part
partir leave
partout everywhere
pas not; **je ne suis pas fatigué** I'm not tired; **pas de...** no...
passage à niveau *m* level crossing
passage clouté *m* pedestrian crossing
passager *m* passenger
passage sous-terrain *m* subway
passeport *m* passport
passionnant exciting
pastilles pour la gorge *fpl* throat pastilles
pâté *m* pâté
pâtes *fpl* pasta
pâtisserie *f (gâteau)* cake; *(magasin)* cake shop

patron *m* boss
pauvre poor
payer pay
pays *m* country
paysage *m* scenery
Pays de Galles *m* Wales
PCV *m* reverse charge call
peau *f* skin
pêche *f (fruit)* peach; *(au poisson)* fishing
pédale *f* pedal
peigne *m* comb
peindre paint
pelle *f* spade
pellicule *f* film
pelouse *f* lawn
pendant during; **pendant que** while
pénicilline *f* penicillin
pénis *m* penis
penser think
pension *f* guesthouse
pension complète *f* full board
perdre lose
père *m* father
permanente *f* perm
permettre allow
permis allowed
permis de conduire *m* driving licence
personne *f* person; *(nul)* nobody
petit small
petit déjeuner *m* breakfast
petit pain *m* roll
petits pois *mpl* peas
peu: peu de touristes few tourists; **un peu (de)** a little bit (of)
peur *f* fear; **j'ai peur (de)** I'm afraid (of)
peut-être maybe
phallocrate *m* male chauvinist pig
phare *m (tour)* lighthouse
phares *mpl (de voiture)* headlights
pharmacie *f* chemist's
photographe *m* photographer
photographie *f* photograph
photographier photograph
photomètre *m* light meter
pickpocket *m* pickpocket
pièce *f (monnaie)* coin; *(de maison)* room
pièce de théâtre *f* play
pièces de rechange *fpl* spare parts
pied *m* foot, *pl* feet; **à pied** on foot
pierre *f* stone
piéton *m* pedestrian
pile *f* battery
pilote *m* pilot
pilule *f* pill
pince *f* pliers
pince à épiler *f* tweezers
pince à linge *f* clothes peg
pince à ongles *f* nail clippers
pinceau *m* paint brush
ping-pong *m* table tennis
pipe *f* pipe
piquant *(goût)* hot
pique-nique *m* picnic
piquer sting
piqûre *f* injection; *(d'insecte)* bite
pire worse
piscine *f* swimming pool
pizza *f* pizza
place *f (siège)* seat; *(esplanade)* square
plafond *m* ceiling

plage *f* beach
plaindre: se plaindre complain
plaire: ... me plaît I like...; **s'il vous plaît** please
plaisanterie *f* joke
plan *m* plan; *(de ville, etc.)* map
planche à voile *f* sailboard; *(activité)* windsurfing, sailboarding
plancher *m* floor
plante *f* plant
plaque minéralogique *f* number plate
plastique *m* plastic
plat flat
plat *m* dish
plateau *m* tray
plein full
pleurer cry
pleuvoir rain; **il pleut** it's raining
plombage *m* filling
plombier *m* plumber
plongée sous-marine *f* skin-diving
plonger dive
pluie *f* rain
plupart: la plupart de most of
plus more; **il n'y a plus de...** *(fini)* there is/are no more...; **moi non plus** nor do I/nor am I
plusieurs several
plutôt rather
pneu *m* tyre
pneumonie *f* pneumonia
poche *f* pocket
poêle *f* frying pan
poids *m* weight
poignée *f (de porte, etc.)* handle
poignet *m* wrist
poire *f* pear
poireau *m* leek
poison *m* poison
poisson *m* fish
poissonnerie *f* fishmonger's
poitrine *f* chest
poivre *m* pepper
poivron *m* pepper
poli polite
police *f* police
politique *f* politics
politique political
pollué polluted
pommade *f* ointment
pomme *f* apple
pomme de terre *f* potato
pompiers *mpl* fire brigade
poney *m* pony
pont *m* bridge; *(de bateau)* deck
porc *m (viande)* pork
port *m* harbour
porte *f* door; *(d'aéroport)* gate
porte-bébé *m* carry-cot
porte-documents *m* briefcase
portefeuille *m* wallet
porte-monnaie *m* purse
porter carry
portier *m* porter
portion *f* portion
porto *m* port
possible possible
poste *f* post office
poster *m* poster
poster *(verbe)* post
poste restante *f* poste restante
pot *m* jug
potage *m* soup
pot d'échappement *m* exhaust
poubelle *f* dustbin
poule *f* chicken
poulet *m* chicken

poumons *mpl* lungs
poupée *f* doll
pour for
pourboire *m* tip
pour cent per cent
pourquoi why
pourri rotten
pousser push
poussette *f* pushchair
pouvoir: je peux/il peut I/he can
pratique practical
préféré favourite
préférer prefer
premier first
premier *m (étage)* first floor
première *f (classe)* first class
premiers secours *mpl* first aid
prendre take
prénom *m* first name
préparer prepare
près de near
présenter present; *(deux personnes)* introduce
préservatif *m* condom
presque almost
pressing *m* dry-cleaner's
prêt ready
prêter lend
prêtre *m* priest
prince *m* prince
princesse *f* princess
principal main
printemps *m* spring
priorité *f* priority; *(voiture)* right of way
prise *f (de courant)* plug; *(boîtier)* socket
prise multiple *f* adaptor
prison *f* prison
privé private
prix *m (de quelque chose)* price; **gagner un prix** win a prize
probablement probably
problème *m* problem
prochain next; **l'année prochaine** next year
produits de beauté *mpl* cosmetics
professeur *m* teacher
profond deep
programme *m* programme
promenade *f* walk
promener: aller se promener go for a walk
promettre promise
prononcer pronounce
propre clean; **sa propre clef** his/her own key
propriétaire *m* owner
prospectus *m* brochure
protège-couches *mpl* nappy-liners
protéger protect
protestant Protestant
prudent careful
prune *f* plum
public public
public *m* public; *(de spectacle)* audience
puce *f* flea
puis then
pull(over) *m* sweater
punk punk
pyjama *m* pyjamas

Q

quai *m (de gare)* platform; *(de port)* quay
qualité *f* quality

quand when
quand même anyway
quart *m* quarter
quartier *m* district
que: plus laid que... uglier than...; **je ne fume que...** I only smoke...; **je pense que...** I think that...; **que... ?, qu'est-ce que... ?** what...?
quel which
quelque chose something
quelque part somewhere
quelques-uns some
quelqu'un somebody
question *f* question
queue *f (d'animal)* tail; *(d'attente)* queue; **faire la queue** queue
qui who
quincaillerie *f* hardware store
quinzaine *f* fortnight
quoi ? what?

R

raccourci *m* shortcut
radiateur *m* heater; *(de voiture)* radiator
radio *f* radio; *(rayons-X)* X-ray
raide steep
raisin *m* grapes
raisonnable sensible
rallonge *f* extension lead
randonnée *f* hike; *(activité)* hiking
rapide fast
rare rare
raser: se raser shave
rasoir *m* razor
rat *m* rat
rater *(train, etc.)* miss
ravissant lovely
rayon *m (de vélo)* spoke
rayons-X *mpl* X-rays
réception *f* reception
réceptionniste *m/f* receptionist
recette *f* recipe
receveur *m* conductor
recevoir receive
recommander recommend
reconnaissant grateful
reconnaître recognize
reçu *m* receipt
regarder look (at)
régime *m* diet
région *f* area
règles *fpl* period
rein *m* kidney
reine *f* queen
religion *f* religion
rembourser refund
remercier thank
remorque *f* trailer
remplir fill
rencontrer meet
rendez-vous *m* appointment
rendre *(restituer)* give back
renseignement *m* information
renseignements *mpl (bureau)* information desk; *(téléphone)* directory enquiries
rentrer return; **rentrer à la maison** go home
renverser knock over
réparer repair
repas *m* meal
repasser iron
répéter repeat
répondre answer
réponse *f* answer
reposer: se reposer take a rest
représentant *m* agent

réservation *f* reservation
réserver reserve
réservoir *m* tank
respirer breathe
responsable responsible
ressembler à look like
ressort *m* spring
restaurant *m* restaurant
reste *m* rest
rester stay
retard *m* delay; **en retard** late
retraité *m* old-age pensioner
rétroviseur *m* rearview mirror
réunion *f* meeting
rêve *m* dream
réveil *m* alarm clock
réveillé awake
réveiller wake up; **se réveiller** wake up
revenir come back
revoir: au revoir goodbye
rez-de-chaussée *m* ground floor
rhum *m* rum
rhumatismes *mpl* rheumatism
rhume *m* cold
rhume des foins *m* hay fever
riche rich
rideau *m* curtain
ridicule ridiculous
rien nothing; *(quelque chose)* anything
rire laugh
rivage *m* shore
rivière *f* river
riz *m* rice
robe *f* dress
robe de chambre *f* dressing gown
robinet *m* tap
rocher *m* rock
rock *m* rock music
roi *m* king
roman *m* novel
rond round
rond-point *m* roundabout
ronfler snore
rose pink
rose *f* rose
roue *f* wheel
roue de secours *f* spare tyre
rouge red
rouge à lèvres *m* lipstick
rougeole *f* measles
route *f* road
roux *(personne)* red-headed
ruban adhésif *m* Sellotape®
rubéole *f* German measles
rue *f* street
ruines *fpl* ruins
ruisseau *m* stream

S

sa his, her, its *(voir grammaire)*
sable *m* sand
sac *m* bag; **sac en plastique** plastic bag
sac à dos *m* rucksack
sac à main *m* handbag
sac de couchage *m* sleeping bag
sac poubelle *m* bin bag
saigner bleed
Saint-Sylvestre *f* New Year's Eve
saison *f* season; **en haute saison** in the high season
salade *f* salad
sale dirty
salé salty
salle à manger *f* dining room
salle d'attente *f* waiting room

salle de bain *f* bathroom
salon *m* lounge
salon d'essayage *m* fitting room
samedi Saturday
sandales *fpl* sandals
sandwich *m* sandwich
sang *m* blood
sans without
santé *f* health; **bon pour la santé** healthy; **santé !** your health!
sardine *f* sardine
sauce *f* sauce
saucisse *f* sausage
sauf except
saumon *m* salmon
sauna *m* sauna
sauter jump
sauvage wild
savoir know; **je ne sais pas** I don't know
savon *m* soap
scandaleux shocking
science *f* science
seau *m* bucket
sec dry
sèche-cheveux *m* hair dryer
sécher dry
seconde *f (temps)* second; *(classe)* second class
secours *m* help; **au secours !** help!
secret secret
sécurité *f* : **en sécurité** safe
séduisant attractive
sein *m* breast
séjour *m* stay
sel *m* salt
self-service *m* self-service
sels de bain *mpl* bath salts
semaine *f* week
semblable similar
semelle *f* sole
sens *m (direction)* direction
sensible sensitive
sentier *m* path
sentiment *m* feeling
sentir feel; *(odeur)* smell; **je me sens bien/mal** I feel well/unwell
séparé separate; **je suis séparé(e)** I'm separated
séparément separately
septembre September
sérieux serious
serpent *m* snake
serrure *f* lock
serveuse *f* waitress
service *m* service; *(pourboire)* service charge
serviette *f (porte-documents)* briefcase; *(de table)* serviette
serviette de bain *f* towel
serviette hygiénique *f* sanitary towel
servir serve
ses his, her, its *(voir grammaire)*
seul alone
seulement only
sexe *m* sex
sexiste sexist
sexy sexy
shampooing *m* shampoo
shopping *m* shopping; **faire du shopping** go shopping
shorts *mpl* shorts
si *(condition)* if; *(tellement)* so; *(mais oui)* yes
SIDA *m* AIDS
siècle *m* century
siège *m* seat
sien: le sien, la sienne his, hers

(voir grammaire)
signer sign
signifier mean
silence *m* silence; **silence !** quiet!
simple simple
sincère sincere
sinon otherwise
ski *m* ski; *(sport)* skiing
skier ski
ski nautique *m* waterski; *(sport)* waterskiing
slip *m* underpants
slip de bain *m* swimming trunks
société *f* company; **la société d'aujourd'hui** today's society
sœur *f* sister
soie *f* silk
soif *f*: j'ai soif I'm thirsty
soir *m* evening; **ce soir** tonight
soirée *f* evening
soit... soit... either... or...
soldes *mpl* sale
soleil *m* sun
sombre dark
sommeil *m* : **j'ai sommeil** I'm sleepy
somnifère *m* sleeping pill
son his, her, its *(voir grammaire)*
sonnette *f* bell
sortie *f* exit
sortie de secours *f* emergency exit
sortir go out
souci *m* worry; **se faire du souci (pour)** worry (about)
soucoupe *f* saucer
soudain suddenly
souhait: à vos souhaits ! bless you
soupe *f* soup
sourcil *m* eyebrow
sourd deaf
sourire smile
souris *f* mouse
sous under
sous-sol *m* basement
sous-titre *m* subtitle
sous-vêtements *mpl* underwear
soutien-gorge *m* bra
souvenir *m* souvenir
souvenir: se souvenir de remember
souvent often
spécialement especially
spécialité *f* speciality
sport *m* sport
starter *m* choke
stationner park
station-service *f* petrol station
steak *m* steak
stérilet *m* IUD
steward *m* steward
stop *m* hitchhiking; **faire du stop** hitchhike
studio *m (appartement)* flatlet
stupide stupid
stylo *m* pen
stylo à bille *m* biro®
stylo-feutre *m* felt-tip pen
succès *m* success
sucette *f* lollipop
sucre *m* sugar
sucré sweet
sud *m* south; **au sud de** south of
suffire: ça suffit that's enough
Suisse *f* Switzerland; **Suisse romande** French-speaking Switzerland
suisse Swiss

suivant *(adjectif)* next
suivre: follow; **faire suivre** forward
super tremendous
supermarché *m* supermarket
supplément *m* supplement
supplémentaire additional
supporter: je ne supporte pas le fromage I can't stand cheese
sur on
sûr sure
surf *m* surf
surgelé frozen; **les surgelés** frozen food
surnom *m* nickname
surprenant surprising
surprise *f* surprise
survêtement *m* tracksuit
sympathique nice
synagogue *f* synagogue
syndicat d'initiative *m* tourist information office

T

ta your *(voir grammaire)*
tabac *m* tobacco
tabac-journaux *m* newsagent
table *f* table
table à repasser *f* ironing board
tableau *m* painting
tableau de bord *m* dashboard
tache *f* stain
taille *f (grandeur)* size; *(partie du corps)* waist
taille-crayon *m* pencil sharpener
talc *m* talcum powder
talon *m* heel
talon-minute *m* heelbar
tampons *mpl (hygiéniques)* tampons
tante *f* aunt
tapis *m* rug
tard late
tarte *f* tart; **tarte aux pommes** apple pie
tasse *f* cup
taureau *m* bull
taxi *m* taxi
te you *(voir grammaire)*
teinturier *m* dry-cleaner's
télécarte® *f* phonecard
télécommande *f* remote control
télécopie *f* fax
téléférique *m* cable car
télégramme *m* telemessage
téléphone *m* telephone
téléphone portable *m* mobile (phone)
téléphone à carte *m* cardphone
téléphoner (à) phone
télésiège *m* chairlift
télévision *f* television
télévision par câble *f* cable (television)
télévision par satellite *f* satellite television
témoin *m* witness
température *f* temperature
tempête *f* storm
temple *m* Protestant church
temps *m (durée)* time; *(météo)* weather
tenir hold
tennis *m* tennis
tennis *mpl* trainers
tente *f* tent
terminer finish
terrain pour caravanes *m*

caravan site
terre *f* earth
tes your *(voir grammaire)*
tête *f* head
thé *m* tea
théâtre *m* theatre
théière *f* teapot
thermomètre *m* thermometer
thermos® *m* thermos® flask
thon *m* tuna fish
tiède lukewarm
tien: le tien, la tienne yours *(voir grammaire)*
timbre *m* stamp
timide shy
tire-bouchon *m* corkscrew
tirer pull
tissu *m* material
toast *m* toast
toi you *(voir grammaire)*
toilettes *fpl* toilet
toit *m* roof
toit ouvrant *m* sunroof
tomate *f* tomato
tomber fall; **laisser tomber** drop
ton your *(voir grammaire)*
tonnerre *m* thunder
torchon à vaisselle *m* tea towel
tôt early
toucher touch
toujours always; *(encore)* still
tour *f* tower
touriste *m/f* tourist
tourner turn
tournevis *m* screwdriver
tous all; **tous les deux** both of them; **tous les jours** every day
tousser cough
tout everything; **tout le/toute la** all the; **toute la journée** all day; **en tout** altogether
toutes all *(voir TOUS)*
toux *f* cough
tradition *f* tradition
traditionnel traditional
traduire translate
train *m* train
tranche *f* slice
tranquille quiet
transmission *f* transmission
transpirer sweat
travail *m* work
travailler work
travaux *mpl (sur la route)* roadworks
traverser cross
très very
tricoter knit
triste sad
trop too much; **trop cher/vite** too expensive/fast
trottoir *m* pavement
trou *m* hole
trouver find
T-shirt *m* T-shirt
tu you
tuer kill
tunnel *m* tunnel
tuyau *m* pipe

U

UE EU
un, une a, an; *(nombre)* one *(voir grammaire)*
université *f* university
urgence *f* emergency
urgent urgent
usine *f* factory
ustensiles de cuisine *mpl*

cooking utensils
utile useful
utiliser use

V

vacances *fpl* holiday; **grandes vacances** summer holidays
vaccin *m* vaccination
vache *f* cow
vagin *m* vagina
vague *f* wave
vaisselle *f (propre)* crockery; **faire la vaisselle** do the washing-up; **produit de vaisselle** washing-up liquid
valable valid
valise *f* suitcase
vallée *f* valley
vanille *f* vanilla
varappe *f* rock climbing
variable changeable
vase *m* vase
veau *m (viande)* veal
végétarien vegetarian
véhicule *m* vehicle
vélo *m* bicycle
vendre sell
vendredi Friday
venir come
vent *m* wind
vente *f* sale
ventilateur *m* fan
ventre *m* stomach
vérifier check
vernis à ongles *m* nail polish
verre *m* glass
verrou *m* bolt
verrouiller bolt
vert green
vessie *f* bladder
veste *f* jacket
vestiaire *m* cloakroom
vêtements *mpl* clothes
vétérinaire *m* vet
veuf *m* widower
veuve *f* widow
vexer offend
viande *f* meat
viande hachée *f* minced meat
vide empty
vidéo *f* video
vie *f* life
vieux old
vignoble *m* vineyard
vilebrequin *m* crankshaft
villa *f* villa
village *m* village
ville *f* town
vin *m* wine; **vin rouge/blanc/rosé** red/white/rosé wine
vinaigre *m* vinegar
vinaigrette *f* salad dressing
viol *m* rape
violet purple
virage *m* bend
vis *f* screw
visa *m* visa
visage *m* face
viseur *m* viewfinder
visite *f* visit
visiter visit
vitamines *fpl* vitamins
vite quickly
vitesse *f (rapidité)* speed; *(première, etc.)* gear
vivant alive
vivre live
vœux *mpl* : **meilleurs vœux** best wishes

voici here is; *(avec pluriel)* here are
voilà here is; *(avec pluriel)* here are
voile *f* sail; *(sport)* sailing
voir see
voisin *m* , **voisine** *f* neighbour
voiture *f* car
voiture de location *f* rented car
voix *f* voice
vol *m (d'avion)* flight; *(criminel)* theft
vol de ligne *m* scheduled flight
vol en standby *m* standby (flight)
volaille *f* poultry
volant *m (de voiture)* steering wheel
voler *(dérober)* steal; *(dans l'air)* fly
volets *mpl* shutters
voleur *m* thief
vomir: j'ai envie de vomir I'm going to be sick
vos your *(voir grammaire)*
votre your *(voir grammaire)*
vôtre: le/la vôtre yours *(voir grammaire)*
vouloir want; **je veux** I want; **voulez-vous... ?** do you want...?
vous you
voyage *m* trip; **voyage d'affaires** business trip; **bon voyage !** have a good journey!
voyage de noces *m* honeymoon
voyage organisé *m* package tour
voyager travel
vrai true
vraiment really
vue *f* view

W

wagon *m* carriage
wagon-lit *m* sleeper
wagon-restaurant *m* dining car
walkman® *m* walkman®
WC *mpl* toilet
week-end *m* weekend
whisky *m* whisky

Y

y there; **il y a** there is; *(avec pluriel)* there are
yacht *m* yacht
yaourt *m* yoghurt

Z

zéro *m* zero
zone piétonne *f* pedestrian precinct
zoo *m* zoo

A

a un, une *(voir grammaire)*
about environ
above au-dessus de
abroad à l'étranger
accelerator accélérateur
accept accepter
accommodation logement
accompany accompagner
ache douleur
adaptor adaptateur; prise multiple
address adresse
address book carnet d'adresses
adult adulte
advance: in advance d'avance
advise conseiller
aeroplane avion
afraid: I'm afraid (of) j'ai peur (de)
after après
afternoon après-midi
afterwards ensuite
again de nouveau
against contre
age âge
agency agence
agent représentant; concessionnaire
ago: three days ago il y a trois jours
agree: I agree je suis d'accord
AIDS SIDA
air-conditioned climatisé
air-conditioning climatisation
air hostess hôtesse de l'air
airline compagnie aérienne
airmail: by airmail par avion
airport aéroport
alarm clock réveil
alcohol alcool
ale bière
alive vivant
all: all men/women tous les hommes/toutes les femmes; **all the milk/beer** tout le lait/toute la bière
allergic to allergique à
all-inclusive tout compris
allow permettre
allowed permis
all right: that's all right d'accord
almost presque
alone seul
already déjà
also aussi
although bien que
altogether en tout
always toujours
a.m.: at 5 a.m. à 5 heures du matin
America Amérique
American américain
among parmi
amp: 15-amp de 15 ampères
an un, une *(voir grammaire)*
ancestor ancêtre
anchor ancre
and et
angina angine de poitrine
angry fâché
ankle cheville
anniversary anniversaire
annoying ennuyeux
another un/une autre; **another beer** encore une bière
answer réponse
answer répondre
ant fourmi

ntibiotic antibiotique
ntifreeze antigel
ntihistamine antihistaminique
ntique: it's an antique c'est un objet d'époque
ntique shop antiquaire
ntiseptic désinfectant
ny: have you got any butter/ bananas? avez-vous du beurre/ des bananes ?; **I don't have any** je n'en ai pas
nyway quand même
pologize s'excuser
ppalling épouvantable
pple pomme
pple pie tarte aux pommes
ppointment rendez-vous
pricot abricot
pril avril
rea région
rm bras
rrest arrêter
rrival arrivée
rrive arriver
rt gallery musée; galerie d'art
rtist artiste
s comme; **as beautiful as** aussi beau que
shamed honteux
shtray cendrier
sk demander
sleep endormi
sparagus asperges
sthma asthme
stonishing étonnant
t: at the station à la gare; **at Betty's** chez Betty; **at 3 o'clock** à 3 heures
ttractive séduisant
udience public
August août
aunt tante
Austria Autriche
autumn automne
awake réveillé
awful affreux
axe hache
axle essieu

B

baby bébé
bachelor célibataire
back arrière; dos; **the back wheel/seat** la roue/le siège arrière
backpack sac à dos
bad mauvais
badly mal
bag sac; valise
bake cuire
baker's boulangerie
balcony balcon
bald chauve
ball ballon; balle
bank banque
barber coiffeur
barmaid serveuse
basement sous-sol
basket panier
bath bain
bathing cap bonnet de bain
bathroom salle de bain
bath salts sels de bain
bathtub baignoire
battery pile; batterie
be être *(voir grammaire)*
beach plage
beans haricots; **green beans** haricots verts

beard barbe
beautiful beau
because parce que
become devenir
bed lit; **single/double bed** lit pour une personne/deux personnes; **go to bed** aller se coucher
bed linen draps de lit
bedroom chambre en liquide
bee abeille
beef bœuf
beer bière
before avant
begin commencer
beginner débutant
beginning début
behind derrière
Belgian belge
Belgium Belgique
believe croire
bell cloche; sonnette
belong appartenir
below sous
belt ceinture
bend virage
best: the best le/la meilleur(e)
better mieux
between entre
bicycle vélo
big grand
bill note; addition
bird oiseau
biro® stylo à bille
birthday anniversaire; **happy birthday!** bon anniversaire !
bit: a little bit un peu
bite morsure; piqûre
bitter amer
black noir
black and white noir et blanc
blackberry mûre
bladder vessie
blanket couverture
bleach eau de Javel
bleed saigner
bless: bless you! à vos souhaits !
blind aveugle
blister ampoule
blocked bouché
blood sang
blood group groupe sanguin
blouse chemisier
blow-dry brushing®
blue bleu
boarding pass carte d'embarquement
boat bateau
body corps
boil bouillir
boiler chaudière
bolt verrou
bolt verrouiller
bone os; arête
bonnet capot
book livre
book réserver
bookshop librairie
boot botte; coffre
border frontière
boring ennuyeux
born: I was born in 1963 je suis né en 1963
borrow emprunter
both: both of them tous les deux
bottle bouteille
bottle-opener ouvre-bouteille
bottom fond; derrière; **at the bottom of** au fond de
bowl bol

box boîte
boy garçon
boyfriend petit ami
bra soutien-gorge
brake frein
brake freiner
brandy cognac
brave courageux
bread pain; **white/wholemeal bread** pain blanc/complet
break casser
break down tomber en panne
breakdown panne; dépression
breakfast petit déjeuner
breast sein
breastfeed allaiter
breathe respirer
brick brique
bridge pont
briefcase porte-documents
bring apporter
Britain Grande-Bretagne
British britannique
brochure prospectus
broke: I'm broke je suis fauché
broken cassé
brooch broche
broom balai
brother frère
brother-in-law beau-frère
brown marron
bruise bleu
brush brosse
Brussels sprouts choux de Bruxelles
bucket seau
bulb ampoule
bull taureau
bumper pare-chocs
bunk beds lits superposés
buoy bouée
burn brûlure
burn brûler
business trip voyage d'affaires
bus station gare routière
bus stop arrêt d'autobus
busy occupé
but mais
butcher's boucherie
butter beurre
butterfly papillon
button bouton
buy acheter
by par; **by car** en voiture

C

cabbage chou
cable car téléférique
cagoule K-way®
cake gâteau
cake shop pâtisserie
calculator calculette
calendar calendrier
call appeler
calm down se calmer
Calor gas® butagaz
camera appareil photo; caméra
campbed lit de camp
campsite camping
can boîte
can: I/she can je peux/elle peut; **can you...?** pouvez-vous... ?
cancel annuler
candle bougie
cap casquette
car voiture
caravan site terrain pour caravanes
cardboard carton

car driver automobiliste
care: take care of s'occuper de
caretaker concierge
careful prudent; **be careful!** faites attention !
car park parking
carpet tapis; moquette
car rental location de voitures
carriage wagon
carrot carotte
carry porter
carry-cot porte-bébé
cash: pay cash payer en liquide
cash desk caisse
cash dispenser distributeur de billets
cassette player lecteur de cassettes
castle château
cat chat
catch attraper
cauliflower chou-fleur
cave grotte
ceiling plafond
cemetery cimetière
central heating chauffage central
century siècle
chain chaîne
chair chaise
chairlift télésiège
chambermaid femme de chambre
change monnaie
change changer; se changer; **change trains** changer de train
changeable variable
Channel Manche
Channel Tunnel Eurotunnel
charter flight charter
cheap bon marché
check vérifier
check-in enregistrement des bagages
cheers! à la vôtre !; merci
cheese fromage
chemist's pharmacie
cheque book chéquier
cheque card carte d'identité bancaire
cherry cerise
chest poitrine
chestnut marron
chicken poule; poulet
child, *pl* **children** enfant
children's portion portion pour enfants
chin menton
chips frites
chocolate chocolat; **milk chocolate** chocolat au lait; **plain chocolate** chocolat à croquer; **hot chocolate** chocolat chaud
choke starter
choose choisir
chop côtelette
Christian name prénom
Christmas Noël
church église
cider cidre
city ville
city centre centre-ville
claret bordeaux rouge
class classe; **first class** première; **second class** seconde
clean propre
clean nettoyer
cleaning lady femme de ménage
cleanser démaquillant
clear clair

clever intelligent
cliff falaise
climate climat
cloakroom vestiaire; toilettes
clock horloge
close fermer
closed fermé
clothes vêtements
clothes peg pince à linge
cloud nuage
cloudy nuageux
clutch embrayage
coach car
coast côte
coat manteau
coathanger cintre
cockroach cafard
cocoa cacao
coffee café; **white coffee** crème
cold froid; **it is cold** il fait froid
cold rhume; **I've got a cold** je suis enrhumé
cold cream crème de beauté
collar col
colour film pellicule couleur
comb peigne
come venir; **come back** revenir; **come in!** entrez !
company société
compass boussole
complain se plaindre
complicated compliqué
computer ordinateur
conditioner baume après-shampooing
condom préservatif
conductor receveur
confirm confirmer
congratulations! félicitations !
connection correspondance
constipated constipé
contact contacter
contact lenses lentilles de contact
contraceptive contraceptif
cook cuisinier
cook cuire
cooker cuisinière *(appareil)*
cooking utensils ustensiles de cuisine
cool frais
corkscrew tire-bouchon
corner coin
cosmetics produits de beauté
cost coûter
cot lit d'enfant
cotton wool coton hydrophile
cough toux
cough tousser
country pays
countryside campagne
course: of course bien sûr
cow vache
crafts artisanat
cramp crampe
crankshaft vilebrequin
crash collision
crayfish langouste; langoustine
cream crème
cream puff chou à la crème
credit card carte de crédit
crew équipage
crisps chips
crockery vaisselle
cross traverser
crowd foule
crowded bondé
cruise croisière
crutches béquilles
cry pleurer

cucumber concombre
cup tasse
cupboard armoire
curtain rideau
custom coutume
customs douane
cut couper
cutlery couverts
cycling cyclisme
cylinder head gasket joint de culasse

D

dad papa
damage endommager
damp humide
dance danser
danger danger
dangerous dangereux
dare oser
dark sombre
dashboard tableau de bord
daughter fille
daughter-in-law belle-fille
day jour; **the day before yesterday** avant-hier; **the day after tomorrow** après-demain
dead mort
deaf sourd
dear cher
death mort
decaffeinated décaféiné
deck pont
deck chair chaise longue
deep profond
delay retard
deliberately exprès
demand exiger
dentist dentiste
dentures dentier
department store grand magasin
departure départ
depend: it depends ça dépend
depressed déprimé
device appareil
diabetic diabétique
dialect dialecte
dialling code indicatif
diamond diamant
diarrhoea diarrhée
diary agenda
die mourir
diesel gas-oil
diet régime
difficult difficile
dining car wagon-restaurant
dining room salle à manger
dinner dîner; **have dinner** dîner
direction sens
directory enquiries renseignements
dirty sale
disabled handicapé
disappear disparaître
disappointed déçu
disaster désastre
disco discothèque
disease maladie
disgusting dégoûtant
distributor delco®
district quartier
disturb déranger
dive plonger
do faire; **that'll do nicely** ça va bien
doctor médecin
dog chien
doll poupée

donkey âne
door porte
double room chambre pour deux personnes
down: I feel a bit down j'ai le cafard; **down there** là-bas
downstairs en bas
draught courant d'air; pression
dream rêve
dress robe
dress habiller; s'habiller
dressing gown robe de chambre
drink boisson
drink boire
drinking water eau potable
drive conduire
driver conducteur
driving licence permis de conduire
drop goutte
drop laisser tomber
drug drogue
drunk ivre
dry sec
dry sécher
dry-cleaner teinturier
duck canard
durex® préservatif
during pendant
dustbin poubelle
Dutch hollandais
duty-free shop boutique hors taxes

E

each chaque
ear oreille
early tôt; en avance
earrings boucles d'oreille
earth terre
east est
Easter Pâques
easy facile
eat manger
egg œuf; **hard-boiled egg** œuf dur; **boiled egg** œuf à la coque
egg cup coquetier
either... or... soit... soit...
Elastoplast® pansement adhésif
elbow coude
else: something else autre chose
elsewhere ailleurs
embassy ambassade
emergency urgence
emergency exit sortie de secours
empty vide
end fin
engaged occupé; fiancé
engine moteur; locomotive
England Angleterre
English anglais; **the English** les Anglais
English girl/woman Anglaise
Englishman Anglais
enlargement agrandissement
enough assez (de); **that's enough** ça suffit
enquiries renseignements
enter entrer; entrer dans
entrance entrée
epileptic épileptique
especially spécialement
even: even men/if même les hommes/si; **even more beautiful** encore plus beau
evening soir; **good evening** bonsoir

every chaque; **every time** chaque fois; **every day** tous les jours
everyone tout le monde
everything tout
everywhere partout
exaggerate exagérer
example exemple; **for example** par exemple
excess bagage excédent de bagages
exchange échanger
exchange rate cours du change
exciting passionnant
excuse me pardon
exhaust pot d'échappement
exhibition exposition
exit sortie
expensive cher
explain expliquer
extension lead rallonge
eye œil
eyebrow sourcil
eye shadow ombre à paupières

F

face visage
factory usine
faint s'évanouir
fair foire; juste
fall tomber
false faux
family famille
famous célèbre
fan ventilateur
fan belt courroie du ventilateur
far (away) loin
farm ferme
farmer agriculteur
fashion mode
fashionable à la mode
fast rapide
fat gros
fat gras
father père
father-in-law beau-père
fault: it's my/his fault c'est de ma/sa faute
faulty défectueux
favourite préféré
fear peur
February février
fed up: I'm fed up (with) j'en ai marre (de)
feel sentir; **I feel well/unwell** je me sens bien/mal; **I feel like** j'ai envie de
feeling sentiment
felt-tip pen stylo-feutre
fence barrière
fever fièvre
few: few tourists peu de touristes; **a few** quelques-uns; **a few...** quelques...
field champ
fight bagarre
fight se battre
fill remplir
fillet filet
filling plombage
filter filtre
find trouver
fine amende
fine beau; **fine!** bien !
finger doigt
fingernail ongle
finish terminer
fire feu; incendie
fire brigade pompiers

fire extinguisher extincteur
fireworks feux d'artifice
first premier
first d'abord
first floor premier
first aid premiers secours
first name prénom
fish poisson
fishbone arête
fishing pêche
fishmonger's poissonnerie
fit en forme
fizzy gazeux
flag drapeau
flat appartement
flat plat; crevé
flavour arôme
flea puce
flight vol
flirt flirter
floor plancher; étage
florist fleuriste
flour farine
flower fleur
flu grippe
fly mouche
fly voler
fog brouillard
follow suivre
food nourriture
food poisoning intoxication alimentaire
foot, *pl* **feet** pied; **on foot** à pied
for pour
forbidden défendu
forehead front
foreign étranger
foreigner étranger
forget oublier
fork fourchette; embranchement
form formulaire
fortnight quinzaine
fortunately heureusement
forward en avant
forward faire suivre
foundation cream fond de teint
fountain fontaine
free libre; gratuit
French français
French girl/woman Française
Frenchman Français
fresh frais
Friday vendredi
fridge frigo
friend ami, amie
from: from Plymouth to Inverness de Plymouth à Inverness
front avant; **in front of** devant
frost gel
frozen surgelé
fry frire
frying pan poêle
full plein
full board pension complète
fun: have fun s'amuser
funeral enterrement
funnel entonnoir
funny drôle
furniture meubles
further plus loin
fuse fusible

game jeu; gibier
garden jardin
garlic ail
gas-permeable lenses lentilles

semi-rigides
gauge jauge
gear vitesse
gearbox boîte de vitesses
gear lever levier de vitesses
gentleman monsieur
gents toilettes pour messieurs
genuine authentique
German allemand
Germany Allemagne
get obtenir; **can you tell me how to get to...?** pouvez-vous me dire comment aller à... ?; **get back** rentrer; **get in** monter; **get off** descendre; **get up** se lever; **get out!** dehors !
girl (jeune) fille
girlfriend petite amie
give donner; **give back** rendre
glad content
glass verre
glasses lunettes
gloves gants
glue colle
go aller; partir; marcher; **go in** entrer; **go out** sortir; **go down** descendre; **go up** monter; **go through** traverser; **go away** partir; **go away!** allez-vous-en !
goat chèvre
God Dieu
gold or
good bon; **good!** bien !
goodbye au revoir
goose oie
got: have you got...? avez-vous... ?
government gouvernement
grandfather grand-père
grandmother grand-mère
grapefruit pamplemousse
grapes raisin
grass herbe
grateful reconnaissant
greasy gras
Greece Grèce
Greek grec
green vert
greengrocer marchand de légumes
grey gris
grocer's épicerie
ground floor rez-de-chaussée
group groupe
guest invité
guesthouse pension
guide guide
guidebook guide
gun fusil; pistolet

H

habit habitude
hail grêle
hair cheveux
haircut coupe de cheveux
hairdresser coiffeur
hair dryer sèche-cheveux
hair spray laque
half moitié; **half a litre/day** un demi-litre/une demi-journée; **half an hour** une demi-heure
half board demi-pension
ham jambon
hammer marteau
hand main
handbag sac à main
handbrake frein à main
handkerchief mouchoir
handle poignée

hand luggage bagages à main
handsome beau
hanger cintre
hangover gueule de bois
happen arriver
happy heureux; **happy Christmas!** joyeux Noël !; **happy New Year!** bonne année !
harbour port
hard dur
hard lenses lentilles dures
hat chapeau
hate détester
have avoir *(voir grammaire)*; **I have to...** je dois...
hay fever rhume des foins
hazelnut noisette
he il
head tête
headache mal à la tête
headlights phares
healthy bon pour la santé; en bonne santé
hear entendre
hearing aid audiophone
heart cœur
heart attack crise cardiaque
heat chaleur
heater radiateur
heating chauffage
heavy lourd
heel talon
hello bonjour; bonsoir
help aide; **help!** au secours !
help aider
her son, sa, ses; la, elle *(voir grammaire)*
herbs fines herbes
here ici; **here is/are** voilà
hers le sien, la sienne *(voir grammaire)*
hiccups hoquet
hide cacher
high haut
highway code code de la route
hill colline
him le, lui *(voir grammaire)*
hip hanche
hire: for hire à louer
his son, sa, ses; **it's his** c'est le sien/la sienne *(voir grammaire)*
hit frapper
hitchhike faire du stop
hitchhiking stop
hold tenir
hole trou
holiday vacances; jour férié; **summer holidays** grandes vacances
home: at home à la maison; **go home** rentrer à la maison
homemade fait maison
homesick: I'm homesick j'ai le mal du pays
honest honnête
honey miel
honeymoon voyage de noces
hoover® aspirateur
hope espérer
horn klaxon®
horse cheval
horse riding équitation
hot chaud; piquant
hot-water bottle bouillotte
hour heure
house maison
house wine vin ordinaire
how? comment ?; **how are you?**

comment allez-vous ?; **how are things?** ça va ?; **how many/much?** combien ?
hungry: I'm hungry j'ai faim
hurry se dépêcher; **hurry up!** dépêchez-vous !
hurt faire mal
husband mari

I

I je
ice glace
ice cream glace
ice lolly esquimau®
idea idée
if si
ignition allumage
ill malade
immediately immédiatement
improve améliorer
in dans; **in London** à Londres; **in France/1945** en France/1945; **in English** en anglais; **is he in?** il est là ?
included compris
incredible incroyable
indicator clignotant
information desk renseignements
injection piqûre
injured blessé
inner tube chambre à air
insect repellent crème anti-insecte
inside à l'intérieur (de)
instant coffee café soluble
instructor moniteur
insurance assurance
interesting intéressant
introduce présenter
invite inviter
Irish irlandais
iron fer; fer à repasser
iron repasser
ironmonger's quincaillerie
island île
it ça; **it is...** c'est... *(voir grammaire)*
itch démangeaison
IUD stérilet

J

jack cric
jacket veste
jam confiture
January janvier
jaw mâchoire
jealous jaloux
jellyfish méduse
jeweller's bijouterie
jewellery bijoux
Jewish juif
job travail
joint joint
joke plaisanterie
journey voyage
jug pot
juice jus
July juillet
jump sauter
jumper pull
junction croisement
June juin
just: just two deux seulement

K

keep garder

kettle bouilloire
key clé
kidneys reins; rognons
kill tuer
kilo kilo
kind aimable
king roi
kiss baiser
kitchen cuisine
knee genou
knife couteau
knit tricoter
knock over renverser
know savoir; connaître; **I don't know** je ne sais pas

L

label étiquette
ladder échelle
ladies toilettes pour dames
lady dame
lager bière
lake lac
lamb agneau
lamp lampe
land atterrir
landscape paysage
language school école de langues
laptop ordinateur portable
large grand
last dernier; **last year** l'année dernière; **at last** enfin
late tard; **arrive/be late** arriver/être en retard; **later** plus tard
laugh rire
launderette laverie
laundry linge sale; blanchisserie
law loi
lawn pelouse
lawyer avocat
lazy paresseux
leaf feuille
leaflet dépliant
leak fuite
learn apprendre
least: at least au moins
leather cuir
leave laisser; partir; oublier
left gauche; **on the left (of)** à gauche (de)
left-handed gaucher
left luggage consigne
leg jambe
lemon citron
lemonade limonade
lemon tea thé citron
lend prêter
length longueur
lens objectif
less moins
lesson leçon
let laisser; **to let** à louer
letter lettre
letterbox boîte à lettres
lettuce laitue
level crossing passage à niveau
library bibliothèque
licence permis
lid couvercle
lie mentir
lie down s'étendre
life vie
lift ascenseur; **give a lift to** emmener
light lumière; phare; **have you got a light?** vous avez du feu ?
light léger; **light blue** bleu clair
light allumer

light bulb ampoule
lighter briquet
lighthouse phare
light meter photomètre
like aimer; **I would like** j'aimerais
like comme
lip lèvre
lipstick rouge à lèvres
list liste
listen (to) écouter
litre litre
litter ordures
little petit; peu; **a little bit (of)** un peu (de)
live vivre; habiter
liver foie
lobster homard
lock serrure
lock fermer à clé
lollipop sucette
London Londres
long long; **a long time** longtemps
look avoir l'air; **look (at)** regarder; **look like** ressembler à; **look for** chercher; **look out!** attention !
lorry camion
lose perdre
lost property office objets trouvés
lot: a lot (of) beaucoup (de)
loud fort
lounge salon
love amour; **make love** faire l'amour
love aimer
lovely ravissant
low bas
luck chance; **good luck!** bonne chance !
luggage bagages
lukewarm tiède
lunch déjeuner
lungs poumons

M

mad fou
maiden name nom de jeune fille
mail courrier
main principal
make faire
make-up maquillage
male chauvinist pig phallocrate
man homme
manager patron; gérant
many beaucoup; **many...** beaucoup de...
map carte; plan
March mars
market marché
marmalade confiture d'oranges
married marié
mass messe
match allumette; match
material tissu
matter: it doesn't matter ça ne fait rien
mattress matelas
May mai
maybe peut-être
me me; **for me** pour moi; **me too** moi aussi; *(voir grammaire)*
meal repas; **enjoy your meal!** bon appétit !
mean signifier
measles rougeole; **German measles** rubéole
meat viande
mechanic mécanicien

medicine médicament
medium à point
medium-sized moyen
meet rencontrer
meeting réunion
mend réparer
menu carte; **set menu** menu
mess pagaille
microwave micro-ondes
midday midi
middle milieu
Middle Ages moyen âge
midnight minuit
milk lait
minced meat viande hachée
mind: do you mind if I...? ça vous dérange si je... ?
mine le mien, la mienne *(voir grammaire)*
mineral water eau minérale
mirror miroir
Miss Mademoiselle, Mlle
miss rater; **I miss you** tu me manques
mistake erreur
misunderstanding malentendu
mix mélanger
moisturizer crème hydratante
Monday lundi
money argent
month mois
mood humeur
moon lune
moped mobylette®
more plus; **no more...** plus de...
morning matin; **good morning** bonjour
most (of) la plupart (de)
mother mère
mother-in-law belle-mère
motorbike moto
motorboat hors-bord
motorway autoroute
mountain montagne
mouse souris
mouth bouche
move bouger
movie film
Mr Monsieur, M.
Mrs Madame, Mme
Ms Mme, Mlle
much beaucoup; **not much time** pas beaucoup de temps
mum maman
mushrooms champignons
musical instrument instrument de musique
mussels moules
must: I/she must je dois/elle doit
mustard moutarde
my mon, ma, mes *(voir grammaire)*

N

nail clou
nail clippers pince à ongles
nailfile lime à ongles
nail polish vernis à ongles
nail polish remover dissolvant
naked nu
name nom; **what's your name?** comment vous appelez-vous ?; **my name is Jim** je m'appelle Jim
napkin serviette
nappy couche
nappy-liners protège-couches
narrow étroit
near près de; **near here** près d'ici; **the nearest...** le/la... le/la

plus proche
nearly presque
necessary nécessaire
neck cou
necklace collier
need: I need... j'ai besoin de...
needle aiguille
neighbour voisin
neither... nor... ni... ni...
nephew neveu
nervous nerveux
neurotic névrosé
never jamais
new nouveau; neuf
news nouvelles
newsagent tabac-journaux
newspaper journal
New Year Nouvel An
next prochain; suivant; **next year** l'année prochaine
next to à côté de
nice sympathique; joli; bon
nickname surnom
niece nièce
night nuit; **good night** bonne nuit
nightclub boîte de nuit
nightdress chemise de nuit
nightmare cauchemar
no non; **no...** pas de...
nobody personne
noise bruit
noisy bruyant
non-smoking non-fumeurs
north nord
Northern Ireland Irlande du Nord
North Sea mer du Nord
nose nez
not pas; **I'm not tired** je ne suis pas fatigué
note billet de banque; note
notebook cahier
nothing rien
novel roman
now maintenant
nowhere nulle part
number numéro
number plate plaque minéralogique
nurse infirmière
nut noix; écrou

O

obnoxious insupportable
obvious évident
octopus poulpe
of de
off éteint; **10% off** 10% de réduction
offend blesser
offer offrir
office bureau
off-licence marchand de vins et spiritueux
often souvent
oil huile
ointment pommade
old vieux; **how old are you?** quel âge avez-vous ?; **I'm 25 years old** j'ai 25 ans
old-age pensioner retraité
olive oil huile d'olive
on sur; allumé
once une fois
one un, une
onion oignon
only seulement
open ouvert
open ouvrir

opposite contraire
opposite: opposite the church en face de l'église
optimistic optimiste
or ou
orchestra orchestre
order commander
organize organiser
other autre
otherwise sinon
our notre, nos *(voir grammaire)*
ours le/la nôtre *(voir grammaire)*
out: out of de; **she's out** elle est sortie
out of order hors-service
outside dehors
oven four
over au-dessus de; fini; **over there** là-bas
overdone trop cuit
overtake doubler
owner propriétaire
oyster huître

P

pack faire ses bagages
package paquet
package tour voyage organisé
packed lunch casse-croûte
packet paquet
pain douleur
painful douloureux
painkiller analgésique
paint peindre
paint brush pinceau
painting tableau
pair paire
palace palais
pancake crêpe
panties slip
paper papier; journal
parcel colis
pardon? comment ?
parents parents *(père et mère)*
park se garer
parking meter parcmètre
part partie
party fête; groupe
pass col
pass passer
passenger passager
pasta pâtes
path sentier
pavement trottoir
pay payer
peach pêche
peanuts cacahuètes
pear poire
peas petits pois
pedal pédale
pedestrian piéton
pedestrian crossing passage clouté
pedestrian precinct zone piétonne
pen stylo
pencil crayon
pencil sharpener taille-crayon
penicillin pénicilline
penknife canif
people gens
pepper poivre; poivron
per: per week par semaine; **per cent** pour cent
perfect parfait
perfume parfum
period période; règles
perm permanente
person personne

petrol essence
petrol station station-service
phone téléphoner (à)
phone book annuaire
phone box cabine téléphonique
phone number numéro de téléphone
photograph photographie
photograph photographier
photographer photographe
phrase book guide de conversation
pie tarte
piece morceau
pig cochon
piles hémorroïdes
pill pilule
pillow oreiller
pilot pilote
pin épingle
pineapple ananas
pink rose
pipe tuyau; pipe
pity: it's a pity c'est dommage
plane avion
plant plante
plastic bag sac en plastique
plate assiette
platform quai
play pièce de théâtre
play jouer
pleasant agréable
please s'il vous plaît
pleased content; **pleased to meet you!** enchanté !
pliers pince
plug prise; bonde
plum prune
plumber plombier
p.m.: 3 p.m. 3 heures de l'après-midi; **11 p.m.** 11 heures du soir
pneumonia pneumonie
pocket poche
poison poison
policeman agent de police
police station commissariat
polite poli
political politique
politics politique
polluted pollué
pond étang
pony poney
poor pauvre
pork porc
port porto; port
porter portier
possible possible
post poster
postcard carte postale
poster poster; affiche
postman facteur
post office poste
potato pomme de terre
poultry volaille
pound livre
power cut coupure de courant
practical pratique
pram landau
prawn crevette
prefer préférer
pregnant enceinte
prepare préparer
prescription ordonnance
present cadeau
pretty joli; **pretty good** assez bien
price prix
priest prêtre
printed matter imprimé
private privé

probably probablement
prohibited interdit
promise promettre
pronounce prononcer
protect protéger
Protestant protestant; **Protestant church** temple
proud fier
pull tirer
pump pompe
puncture crevaison
purple violet
purse porte-monnaie
push pousser
pushchair poussette
put mettre

Q

quarter quart
quay quai
queen reine
queue faire la queue
quick rapide
quickly vite
quiet tranquille; **quiet!** silence !
quilt couette
quite assez

R

rabbit lapin
railway chemin de fer
rain pluie
rain pleuvoir; **it's raining** il pleut
rainbow arc-en-ciel
raincoat imperméable
rape viol
rare rare; bleu
raspberry framboise
rat rat
rather plutôt
raw cru
razor rasoir
razor blade lame de rasoir
read lire
ready prêt
really vraiment
rear lights feux arrière
rearview mirror rétroviseur
receipt reçu
receive recevoir
recipe recette
recognize reconnaître
recommend recommander
record disque
record shop disquaire
red rouge
red-headed roux
refund rembourser
relax se détendre
remember se souvenir de; **I remember** je m'en souviens
rent loyer
rent louer
repair réparer
repeat répéter
reserve réserver
responsible responsable
rest reste; repos; **take a rest** se reposer
return ticket aller-retour
reverse marche arrière
rheumatism rhumatismes
rib côte
rice riz
rich riche; lourd
right droite; **on the right (of)** à droite (de)
right juste; droit

right of way priorité
ring bague
ring téléphoner à
ripe mûr
river rivière
road route; rue
roadsign panneau de signalisation
roadworks travaux
rock rocher
rock climbing varappe
roll petit pain
roof toit
roof rack galerie *(de voiture)*
room chambre; pièce
rope corde
rotten pourri
round rond; **round the corner** au coin de la rue
roundabout rond-point
route itinéraire
rowing boat bateau à rames
rubber caoutchouc; gomme
rubber band élastique
rubbish ordures
rucksack sac à dos
rude grossier
rug tapis
ruins ruines
rum rhum
run courir

S

sad triste
safe en sécurité
safety pin épingle de nourrice
sailboard planche à voile
sailing voile
sailing boat bateau à voile
salad dressing vinaigrette
sale vente; soldes; **for sale** à vendre
salmon saumon
salt sel
salty salé
same même
sand sable
sandals sandales
sand dunes dunes
sanitary towel serviette hygiénique
Saturday samedi
saucepan casserole
saucer soucoupe
sausage saucisse
savoury salé
say dire
scarf écharpe; foulard
scenery paysage
school école
scissors ciseaux
Scotland Ecosse
Scottish écossais
scrambled eggs œufs brouillés
scream crier
screw vis
screwdriver tournevis
sea mer
seafood fruits de mer
seagull mouette
seasick: I'm seasick j'ai le mal de mer
seaside: at the seaside au bord de la mer
season saison; **in the high season** en haute saison
seat siège; place
seat belt ceinture de sécurité
seaweed algues

second seconde
second-hand d'occasion
secret secret
see voir; **see you tomorrow** à demain
sell vendre
sellotape® ruban adhésif
send envoyer
sensible raisonnable
sensitive sensible
separate séparé
separately séparément
serious sérieux
serve servir
service charge service
several plusieurs
sew coudre
shade ombre
shampoo shampooing
share partager
shark requin
shave se raser
shaving brush blaireau
shaving foam mousse à raser
she elle
sheep mouton
sheet drap
shell coquille
shellfish crustacés
ship bateau
shirt chemise
shock choc
shock-absorber amortisseur
shocking scandaleux
shoe laces lacets
shoe polish cirage
shoe repairer cordonnier
shoes chaussures
shop magasin
shopping bag cabas
shopping centre centre commercial
shore rivage
short court
shortcut raccourci
shortsighted myope
shoulder épaule
shout crier
show montrer
shower douche; averse
shutter obturateur
shutters volets
shy timide
sick: I feel sick je me sens mal; **I'm going to be sick** j'ai envie de vomir
side côté
sidelights feux de position
sign signer
silk soie
silver argent
silver foil papier d'argent
similar semblable
since depuis (que)
sing chanter
single célibataire
single room chambre pour une personne
single ticket aller simple
sink évier
sink couler
sir Monsieur
sister sœur
sister-in-law belle-sœur
sit down s'asseoir
size taille *(grandeur)*
ski skier
skid déraper
skiing ski
ski-lift remonte-pente

skin peau
skin cleanser démaquillant
skin-diving plongée sous-marine
skinny maigre
skirt jupe
ski slope piste de ski
skull crâne
sky ciel
sleep dormir
sleeper wagon-lit
sleeping bag sac de couchage
sleeping pill somnifère
sleepy: I'm sleepy j'ai sommeil
slice tranche
slide diapositive
slim mince
slippers pantoufles
slippery glissant
slow lent
slowly lentement
small petit
smell odeur
smell sentir
smile sourire
smoke fumée
smoke fumer
smoking fumeurs
snack casse-croûte
snail escargot
snake serpent
sneeze éternuer
snore ronfler
snow neige
so: so beautiful/big si beau/grand
soaking solution solution de trempage
soap savon
soccer football
socket prise
socks chaussettes
soft doux
soft drink boisson non-alcoolisée
soft lenses lentilles souples
sole semelle
some quelques-uns; **some wine/flour/biscuits** du vin/de la farine/des biscuits
somebody quelqu'un
something quelque chose
sometimes parfois
somewhere quelque part
son fils
song chanson
son-in-law beau-fils
soon bientôt
sore: I've got a sore throat j'ai mal à la gorge
sorry excusez-moi; pardon ?; **I'm sorry** je suis désolé
sour acide
south sud
spade pelle
Spain Espagne
Spanish espagnol
spanner clé anglaise
spare parts pièces de rechange
spare tyre roue de secours
spark plug bougie
speak parler; **do you speak...?** parlez-vous... ?
speed vitesse
speed limit limitation de vitesse
speedometer compteur
spend dépenser
spice épice
spider araignée
spinach épinards
spoke rayon
spoon cuiller

spot bouton; endroit
spring printemps; ressort
square place
stain tache
stairs escalier
stamp timbre
stand se tenir debout; **I can't stand cheese** je ne supporte pas le fromage
star étoile
starter entrée; démarreur
state état
station gare
stationer's papeterie
stay séjour
stay rester; loger
steal voler
steamer bateau à vapeur
steep raide
steering direction
steering wheel volant
stepfather beau-père
stepmother belle-mère
stewardess hôtesse de l'air
still encore; non gazeux
sting piquer
stockings bas
stomach ventre
stomach ache maux d'estomac
stone pierre
stop arrêt
stop s'arrêter; **stop!** arrêtez !
storm tempête
story histoire
straight droit; **straight ahead** tout droit
strange bizarre
stranger étranger
strawberry fraise
stream ruisseau
street rue
string ficelle
stroke attaque
strong fort
stuck coincé
student étudiant, étudiante
stupid stupide
suburbs banlieue
subway passage sous-terrain; métro
suddenly tout d'un coup
suede daim
sugar sucre
suit complet
suit: blue suits you le bleu te va bien
suitcase valise
summer été
sun soleil
sunbathe se faire bronzer
sunblock écran total
sunburn coup de soleil
Sunday dimanche
sunglasses lunettes de soleil
sunny ensoleillé
sunset coucher de soleil
sunshine soleil
sunstroke insolation
suntan bronzage
suntan lotion crème solaire
suntan oil huile solaire
supermarket supermarché
sure sûr
surname nom de famille
surprising surprenant
swallow avaler
sweat transpirer
sweater pullover
sweet bonbon; dessert
sweet doux

swim nager
swimming natation; **go swimming** aller se baigner
swimming costume maillot de bain
swimming pool piscine
swimming trunks slip de bain
Swiss suisse
switch interrupteur
switch off éteindre; arrêter
switch on allumer; mettre en marche
Switzerland Suisse
swollen enflé

T

tablecloth nappe
tablet comprimé
table tennis ping-pong
tail queue
take prendre; **take away** enlever; **to take away** à emporter; **take off** décoller
talcum powder talc
talk parler
tall grand
tan bronzage
tank réservoir
tap robinet
tape cassette; ruban adhésif
taste goût
taste goûter
tea thé; goûter
teach enseigner
teacher professeur
team équipe
teapot théière
tea towel torchon à vaisselle
teenager adolescent, adolescente
telephone directory bottin®
tent tente
terrible épouvantable
terrific fantastique
than: uglier than plus laid que
thank remercier
thank you merci
that ce, cette; ça, cela; **I think that...** je pense que...; **that one** celui-là, celle-là
the le, la, les *(voir grammaire)*
their leur *(voir grammaire)*
theirs le/la leur *(voir grammaire)*
them les; leur; eux, elles *(voir grammaire)*
then alors
there là; **there is/are** il y a; **is/are there...?** est-ce qu'il y a... ?
these ces; ceux-ci, celles-ci
they ils, elles
thick épais
thief voleur
thigh cuisse
thin mince
thing chose
think penser
thirsty: I'm thirsty j'ai soif
this ce, cette; ceci; **this one** celui-ci, celle-ci
those ces; ceux-là, celles-là
thread fil
throat gorge
throat pastilles pastilles pour la gorge
through par
throw lancer; **throw away** jeter
thunder tonnerre
thunderstorm orage
Thursday jeudi

ticket billet
ticket office guichet
tide marée
tie cravate
tight étroit
tights collants
time temps; fois; **on time** à l'heure; **what time is it?** quelle heure est-il ?
timetable horaire
tin opener ouvre-boîte
tip pourboire
tired fatigué
tissues kleenex®
to: I'm going to Paris/Scotland je vais à Paris/en Ecosse
tobacco tabac
today aujourd'hui
toe orteil
together ensemble
toilet paper papier hygiénique
tomorrow demain
tongue langue
tonight ce soir
tonsillitis angine
too aussi; **too big** trop grand; **not too much** pas trop
tool outil
tooth, *pl* **teeth** dent
toothache mal de dents
toothbrush brosse à dents
toothpaste dentifrice
top: at the top en haut
torch lampe de poche
touch toucher
towel serviette de bain
tower tour
town ville
town hall mairie
toy jouet
tracksuit survêtement de sport
traffic circulation
traffic jam embouteillage
traffic lights feux de signalisation
traffic warden contractuel
trailer remorque; bande-annonce
trainers tennis
translate traduire
travel voyager
travel agent's agence de voyages
traveller's cheque chèque de voyage
tray plateau
tree arbre
tremendous super
trip excursion
trolley chariot
trousers pantalon
true vrai
try essayer; **try on** essayer
Tuesday mardi
tuna fish thon
turkey dinde
turn tourner
tweezers pince à épiler
twin room chambre à deux lits
twins jumeaux
tyre pneu

U

ugly laid
umbrella parapluie
uncle oncle
under sous
underdone mal cuit
underground métro

underneath dessous; sous
underpants slip
understand comprendre
underwear sous-vêtements
unemployed au chômage
unfortunately malheureusement
United States Etats-Unis
unpack défaire sa valise
unpleasant désagréable
until jusqu'à (ce que)
up: up there là-haut
upstairs en haut
us nous *(voir grammaire)*
use utiliser
useful utile
usual habituel
usually d'habitude

V

vaccination vaccin
vacuum cleaner aspirateur
vagina vagin
valid valable
valley vallée
van camionnette
VD maladie vénérienne
veal veau
vegetables légumes
vegetarian végétarien
vehicle véhicule
very très; **very much** beaucoup
vet vétérinaire
video recorder magnétoscope
view vue
viewfinder viseur
vinegar vinaigre
visit visiter
voice voix

W

waist taille *(partie du corps)*
wait attendre
waiter garçon
waiting room salle d'attente
waitress serveuse
wake up réveiller; se réveiller
Wales Pays de Galles
walk promenade; **go for a walk** aller se promener
walk marcher
wall mur
wallet portefeuille
want vouloir; **I want** je veux; **do you want...?** voulez-vous... ?
war guerre
warm chaud; **it's warm** il fait chaud
wash laver; se laver
washbasin lavabo
washing lessive
washing machine machine à laver
washing powder lessive
washing-up vaisselle
washing-up liquid produit de vaisselle
wasp guêpe
watch montre
watch regarder
water eau
water heater chauffe-eau
waterfall cascade
waterski ski nautique
wave vague
way: this way comme ceci; par ici
we nous
weak faible
weather temps

weather forecast météo
wedding mariage
Wednesday mercredi
week semaine
weight poids
welcome! bienvenue ! ; **you're welcome** je vous en prie
well: he's well/not well il va bien/mal
well bien
well done bien cuit
wellingtons bottes de caoutchouc
Welsh gallois
west ouest
wet mouillé
what...? que... ?; **what?** quoi ?; **what's this?** qu'est-ce que c'est ?
wheel roue
wheelchair fauteuil roulant
when quand
where où
which quel
while pendant que
whipped cream crème Chantilly
white blanc
who qui
whole entier
whooping cough coqueluche
whose: whose is this? c'est à qui ?
why pourquoi
wide large
widow veuve
widower veuf
wife femme
wild sauvage
win gagner
wind vent
window fenêtre
windscreen pare-brise
windscreen wiper essuie-glace
wine vin; **red/white wine** vin rouge/blanc
wing aile
winter hiver
wire fil de fer
wish: best wishes meilleurs vœux
with avec
without sans
witness témoin
woman femme
wonderful merveilleux
wood bois
wool laine
word mot
work travail
work travailler; **it's not working** ça ne marche pas
world monde
worry souci
worry about se faire du souci pour
worse pire
worst le/la pire
wound blessure
wrap emballer
wrapping paper papier d'emballage
wrench clé anglaise
wrist poignet
write écrire
writing paper papier à lettres
wrong faux

X-ray radio

year année
yellow jaune
yes oui; **oh yes I do!** mais si !
yesterday hier
yet: not yet pas encore
you tu; te; toi; vous *(voir grammaire)*
young jeune; **young people** les jeunes
your ton, ta, tes; votre, vos *(voir grammaire)*
yours le tien, la tienne; le/la vôtre *(voir grammaire)*
youth hostel auberge de jeunesse

zip fermeture éclair®

Il n'y a qu'un seul ***ARTICLE DEFINI*** en anglais que l'on utilise pour traduire 'le', 'la', 'les' :

the shop	le magasin
the street	la rue
the trains	les trains

De même qu'il n'existe qu'un seul ***ARTICLE INDEFINI*** pour traduire 'un' et 'une'. Cet article **a** devient **an** s'il est placé devant un nom commençant par **a, e, i** ou **o** et quelquefois par **u** :

a shop	un magasin
a street	une rue
an idea	une idée
an umbrella	un parapluie

Lorsque **'u'** se prononce *iou* on utilise **a** :

a university	une université

Les ***ADJECTIFS*** sont invariables et se placent devant le nom :

a big shop	un grand magasin
a big street	une grande rue
an Indian restaurant	un restaurant indien
the Indian community	la communauté indienne

Le ***PLURIEL*** se forme généralement en ajoutant un **s** :

the shop	**the shops**	les magasins
the street	**the streets**	les rues

Le **s** final se prononce toujours en anglais.

Si le nom se termine par **-ch, -o, -s, -sh, -x, -z,** on marquera le pluriel en ajoutant **-es** :

the church	**the churches**	les églises
the box	**the boxes**	les boîtes

Si le nom se termine par une consonne suivie d'un **y**, le **y** disparaît au pluriel et est remplacé par **-ies** :

	the city	**the cities**	les villes
	the party	**the parties**	les fêtes
(mais	**the boy**	**the boys**	les garçons)

Si le nom se termine par **-fe** (et quelquefois par **-f**), le **-fe** devient **-ves** :

knife	**knives**	les couteaux
life	**lives**	les vies
loaf	**loaves**	les pains

Il existe cependant quelques exceptions :

child	**children**	les enfants
foot	**feet**	les pieds
man	**men**	les hommes
mouse	**mice**	les souris
sheep	**sheep**	les moutons
tooth	**teeth**	les dents
woman	**women**	les femmes

Le ***COMPARATIF*** des adjectifs s'obtient en ajoutant la terminaison **-er** à l'adjectif :

fast	**faster**	vite/plus vite
narrow	**narrower**	étroit/plus étroit

Lorsque l'adjectif se termine par une consonne suivie de **y**, ce dernier est remplacé par **-ier** :

funny	**funnier**	drôle/plus drôle

En règle générale, si l'adjectif a plus de deux syllabes, on utilisera l'adverbe **'more'** devant l'adjectif :

expensive	**more expensive**	cher/plus cher

Plus ... que :

it was more expensive than that
c'était plus cher que cela

Aussi ... que :

as useful as possible
aussi utile que possible

On obtient le ***SUPERLATIF*** en ajoutant la terminaison **-est** aux adjectifs courts ou en plaçant **'the most'** devant les adjectifs longs :

fast	**the fastest**	vite/le plus vite
funny	**the funniest**	drôle/le plus drôle
expensive	**the most expensive**	cher/le plus cher

Il existe cependant quelques exceptions :

good bon	**better** mieux	**the best** le meilleur
bad mauvais	**worse** pire	**the worst** le pire

On obtient l'***ADVERBE*** en ajoutant la terminaison **-ly** à l'adjectif :

a gradual change	un changement graduel
he changed gradually	il a changé graduellement

Il existe deux catégories de ***PRONOMS PERSONNELS*** :

I	je	**me**	me, moi
you	tu	**you**	te, toi
he	il	**him**	le, lui
she	elle	**her**	la, lui, elle
it	il, elle	**it**	le, la, lui, elle
we	nous	**us**	nous
you	vous	**you**	vous
they	ils, elles	**them**	leur, eux, elles

Remarques : **it** ne s'utilise que pour les objets et les animaux.
Il n'y a qu'un seul pronom en anglais pour tu/vous.

I understand you	je te/vous comprends
it is for her	c'est pour elle
if I write to them	si je leur écris

On peut utiliser ***YOU*** pour traduire 'on' :

you never know	on se sait jamais

Si 'on' représente des gens en général ou un groupement officiel, il faudra utiliser **they** :

they say that...	on dit que...
they have changed the law	on a changé la loi

ADJECTIFS POSSESSIFS :

my	mon, ma, mes
your	ton, ta, tes
his	son, sa, ses
her	son, sa, ses
its	son, sa, ses
our	notre, nos

your	votre, vos
their	leur, leurs

L'adjectif possessif ne s'accorde pas avec le nom qu'il qualifie et sera du genre et du nombre de la personne ou de la chose qui possède :

he visited his house	il a visité sa maison (à lui)
he visited her house	il a visité sa maison (à elle)
the house and its garden	la maison et son jardin

PRONOMS POSSESSIFS :

mine	le mien, la mienne, les miens, les miennes
yours	le tien etc
his	le sien etc
hers	le sien etc
its	le sien etc
ours	le nôtre etc
yours	le vôtre etc
theirs	le leur etc

is that mine? — no, it's hers
c'est à moi ? — non, c'est à elle

he lost his	il a perdu le sien (etc)
she lost hers	elle a perdu le sien (etc)
theirs is better	le leur (etc) est meilleur

Le ***PRESENT*** des ***VERBES*** anglais est très simple : le verbe ne change pas sauf à la troisième personne du singulier pour laquelle on ajoute la terminaison **-s** :

I take	je prends	**we take**	nous prenons
you take	tu prends	**you take**	vous prenez
he/she/it takes	il/elle prend	**they take**	ils/elles prennent

Remarque : pour les verbes finissant en **-ch, -o, -s, -sh, -x** ou **-z,** la terminaison du verbe à la troisième personne du singulier sera **-es**.

go	aller	**he/she/it goes**
watch	regarder	**he/she/it watches**
fix	arranger	**he/she/it fixes**

Le ***FUTUR*** s'obtient en plaçant **will** avant le verbe :

I will take	je prendrai	**we will take**	nous prendrons
you will take	tu prendras	**you will take**	vous prendrez
he/she/it will take	il/elle prendra	**they will take**	ils/elles prendront

will se contracte souvent en **'ll** :

I'll come back later je reviendrai plus tard

Le ***PRETERIT*** s'obtient en ajoutant au verbe la terminaison **-ed** (si le verbe se termine par une consonne) et **-d** (si le verbe se termine par une voyelle).

Conjugaison du verbe **walk** (marcher, se promener) au ***PRETERIT*** :

I walked	j'ai marché	**we walked**
you walked		**you walked**
he/she/it walked		**they walked**

On utilise le prétérit pour désigner une action passée révolue.

Il existe un autre temps du passé, le ***PASSE COMPOSE***, utilisé pour décrire une action passée qui est encore liée au présent. On forme ce temps en utilisant le verbe **have** (avoir) au présent suivi du participe passé du verbe choisi. Le participe passé se forme de la même manière que le prétérit :

I have walked	**we have walked**
you have walked	**you have walked**
he/she/it has walked	**they have walked**

Remarque : **have** se contracte souvent en **'ve** et **has** en **'s**.

Comparez les exemples suivants :

I walked to the beach yesterday
hier, je suis allé à la plage à pied

I have walked to the beach every day
je suis allé à la plage à pied tous les jours

last year I walked to the beach every day
l'année dernière, j'allais à la plage à pied tous les jours

Au prétérit et au passé composé, il existe un grand nombre de ***VERBES IRREGULIERS*** ou ***VERBES FORTS*** et la seule manière de les reconnaître est de les apprendre par cœur ! Voici une liste des verbes irréguliers les plus courants :

Infinitif		*Prétérit*	*Participe passé*
be	être	**was**	**been**
bear	supporter	**bore**	**borne**
beat	battre	**beat**	**beaten**
begin	commencer	**began**	**begun**
bite	mordre	**bit**	**bitten**
blow	souffler	**blew**	**blown**
break	casser	**broke**	**broken**
bring	apporter	**brought**	**brought**
build	construire	**built**	**built**
buy	acheter	**bought**	**bought**
catch	attraper	**caught**	**caught**
choose	choisir	**chose**	**chosen**
come	venir	**came**	**come**
cost	coûter	**cost**	**cost**
cut	couper	**cut**	**cut**
do	faire	**did**	**done**
dream	rêver	**dreamt**	**dreamt**
drink	boire	**drank**	**drunk**
drive	conduire	**drove**	**driven**
eat	manger	**ate**	**eaten**
fall	tomber	**fell**	**fallen**
feel	ressentir	**felt**	**felt**
find	trouver	**found**	**found**
forbid	interdire	**forbade**	**forbidden**
forget	oublier	**forgot**	**forgotten**
get	obtenir	**got**	**got**
give	donner	**gave**	**given**
go	aller	**went**	**gone**
have	avoir	**had**	**had**
hear	entendre	**heard**	**heard**
hold	tenir	**held**	**held**
keep	garder	**kept**	**kept**
know	savoir	**knew**	**known**
learn	apprendre	**learnt**	**learnt**
leave	quitter	**left**	**left**

lose	perdre	**lost**	**lost**
make	faire	**made**	**made**
meet	rencontrer	**met**	**met**
pay	payer	**paid**	**paid**
run	courir	**ran**	**run**
see	voir	**saw**	**seen**
sell	vendre	**sold**	**sold**
send	envoyer	**sent**	**sent**
shut	fermer	**shut**	**shut**
sit	s'asseoir	**sat**	**sat**
sleep	dormir	**slept**	**slept**
speak	parler	**spoke**	**spoken**
spend	dépenser	**spent**	**spent**
stand	être debout	**stood**	**stood**
swim	nager	**swam**	**swum**
take	prendre	**took**	**taken**
tell	raconter	**told**	**told**
think	penser	**thought**	**thought**
understand	comprendre	**understood**	**understood**
wake	se réveiller	**woke**	**woken**
wear	porter *(vêtement)*	**wore**	**worn**
win	gagner	**won**	**won**
write	écrire	**wrote**	**written**

Un verbe important : **be** (être). La conjugaison de ce verbe est la suivante :

présent	**I am, you are, he/she/it is** **we are, you are, they are**
forme contractée	**I'm, you're, he's** etc **we're, you're, they're**
futur	**I will be, you will be, he/she/it will be** **we will be, you will be, they will be**
prétérit	**I was, you were, he/she/it was** **we were, you were, they were**
passé composé	**I have been, you have been, he/she/it has been** **we have been, you have been, they have been**

Le ***PRESENT PROGRESSIF*** s'utilise pour décrire des actions ou des états qui sont en train de se passer par opposition à des actions qui se passent en général. On obtient le présent progressif en utilisant le verbe **be** conjugué au présent, suivi du verbe choisi + la terminaison **-ing**.

Comparez les exemples suivants :

it's raining (en ce moment)
il pleut

it rains every time I go to London (en général)
il pleut à chaque fois que je vais à Londres

he is waiting for you (en ce moment)
il t'attend

he never waits for me (en général)
il ne m'attend jamais

La ***FORME NEGATIVE*** du présent s'obtient en utilisant le verbe **do** conjugué au présent + **NOT** suivi du verbe choisi :

I do not work je ne travaille pas
you do not work
he/she/it does not work
we do not work
you do not work
they do not work

do not se contracte souvent en **don't** et **does not** en **doesn't**.

La forme négative du futur se forme avec **not** :

I/you/he etc **will not work**

will not se contracte souvent en **won't**.

La forme négative du prétérit se forme de la même manière que pour le présent, mais en utilisant le verbe **do** conjugué au prétérit.

I/you/he etc **did not work**

did not se contracte souvent en **didn't**.

La forme négative du passé composé se forme avec **not** :

I have not worked/you have not worked/he has not worked

have not se contracte souvent en **haven't** et **has not** en **hasn't**.

pouces **pieds**

1 pouce = 2,54 cm

1 pied = 30,48 cm

yards
1 yard = 0.91 mètre

miles
1 mile = 1,609 kilomètre
1 kilomètre = 0,62 mile

pour convertir des miles en kilomètres : diviser par 5 et multiplier par 8

miles :	1	3	5	10	20	100
kilomètres :	1,6	4,8	8	16	32	160

pour convertir des kilomètres en miles : diviser par 8 et multiplier par 5

kilomètres :	2	3	4	5	10	100
miles :	1,25	1,9	2,5	3,1	6,25	62,5

kilos
1 kilo = 2,2 ou $\frac{11}{5}$ livres environ

pour convertir des kilos en livres : diviser par 5 et multiplier par 11

kilos :	4	5	10	20	30	40
livres :	8,8	11	22	44	66	88

livres
1 livre = 0,45 ou $\frac{5}{11}$ kilo environ; 1 'stone' = 14 livres

pintes
1 pinte = 0,57 litre

gallons
1 gallon = 4,54 litres

degrés Fahrenheit/centigrades
pour convertir des degrés Fahrenheit en degrés centigrades : soustraire 32, multiplier par 5 et diviser par 9

Fahrenheit :	40	50	59	68	77	82	86
centigrades :	4	10	15	20	25	28	30

pour convertir des degrés centigrades en degrés Fahrenheit : diviser par 5, multiplier par 9 et ajouter 32

Robes, tailleurs et pull-overs (dames)

UK	8	10	12	14	16	18	20	22
Europe	36	38	40	42	44	46-48	50	52
USA	6	8	10	12	14	16	18	20

Chaussures pour dames

UK	4	5	6	7	8
Europe	37	38	39	40	42
USA	6	7	8	9	10

Soutiens-gorge

(La taille des bonnets est équivalente)

UK	32	34	36	38	40
Europe	70	75	80	85	90
France	85	90	95	100	105

Complets et vestes pour messieurs

UK/USA	36	38	40	42	44	46
Europe	46	48	50	52	54	56

Chemises (tour de cou)

UK/USA	14	14	15	15	16	16	17
Europe	36	37	38	39	41	42	43

Chaussures pour messieurs

UK	7	8	9	10	11
Europe	40	42	43	44	46
USA	8	9	10	11	12

Tour de taille et tour de poitrine

Inch	28	30	32	32	32	38	40	42	44	46
cm	71	75	81	86	92	97	102	107	112	117

N.B. : la taille des vêtements peut légèrement varier d'un magasin à l'autre. Une taille 10 pourra, par exemple, correspondre à un 38 ou à un 40, etc.